Listening
mentor joy

1

LEVEL

Longman
Listening Mentor Joy 1

지은이 교재개발연구소
편집 및 기획 English Nine
발행처 Pearson Education South Asia Pte Ltd.
판매처 inkedu(inkbooks)
전화 02-455-9620(주문 및 고객지원)
팩스 02-455-9619
등록 제13-579호

ISBN 979-11-88228-58-4
잘못된 책은 구입처에서 바꿔 드립니다.

INTRODUCTION

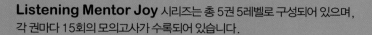

Listening Mentor Joy 시리즈는 총 5권 5레벨로 구성되어 있으며,
각 권마다 15회의 모의고사가 수록되어 있습니다.

단계	대상	활용 방안
	초등 3학년	● 정확한 알파벳 소리를 익힌다. ● 영어 단어의 정확한 발음과 의미를 익힌다. ● 한 문장으로 된 간단한 지시, 명령을 이해한다. ● 간단한 대화의 내용을 이해한다. ● 간단한 질문을 이해하고 대답할 수 있는 능력을 키운다.
	초등 3-4학년	● 영어 단어의 정확한 발음과 의미를 익힌다. ● 한 문장으로 된 간단한 지시, 명령을 이해한다. ● 일상생활에 관련된 쉽고 간단한 대화를 듣고 이해한다. ● 수와 시각에 관한 간단한 대화를 듣고 이해한다. ● 간단한 대화를 듣고, 대화가 일어난 장소와 시간 등을 안다.
	초등 4-5학년	● 한두 문장으로 된 명령이나 지시를 듣고 이해한다. ● 간단한 대화를 듣고, 대화가 일어난 장소와 시간 등을 안다. ● 일상생활과 관련된 쉽고 간단한 말을 듣고, 중심 낱말을 찾는다. ● 시간과 수량에 관한 대화를 이해하고 대답할 수 있다. ● 두 사람 간의 대화를 통해 내용을 이해할 수 있다. ● 의문사를 이용한 질문을 이해하고 대답할 수 있다.
	초등 5-6학년	● 일상생활에 관한 쉽고 간단한 내용을 듣고, 의도나 목적을 이해한다. ● 간단한 대화를 듣고 주제를 이해한다. ● 간단한 말을 듣고 세부 사항을 이해한다. ● 앞으로 일어날 일에 관한 간단한 말을 듣고 이해한다. ● 의문사를 이용한 질문을 이해하고 답할 수 있다. ● 대상을 비교하는 쉬운 말을 듣고 이해한다. ● 간단한 전화 대화를 이해한다.
	예비중학생	● 자기소개를 하거나 위치를 묻고 말하는 내용을 이해한다. ● 과거시제를 이용한 대화를 이해한다. ● 대화를 듣고 세부 정보를 파악하거나 화자 간 관계를 추론할 수 있다. ● 대화를 통해 화자의 의도나 목적을 추론할 수 있다. ● 대화를 듣고 화자의 심정이나 태도 추론이 가능하고 관용적인 표현을 이해한다. ● 간단한 전화 대화를 이해할 수 있으며, 좀 더 복잡한 시간과 수를 영어로 이해한다.

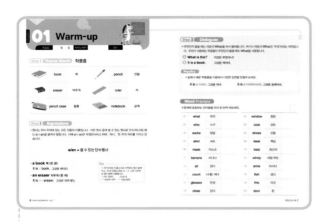

Warm-up

실전 모의고사를 풀기에 앞서 가장 기본이 되는
표현과 어휘를 학습하는 단계입니다.

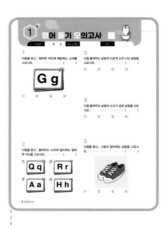

영어 듣기 모의고사

실제 모의고사에 나오는
다양한 문제들을 풀면서
영어 듣기 평가 시험에
대비합니다.

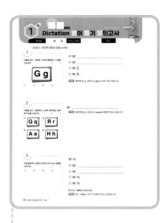

Dictation
영어 듣기 모의고사

모의고사에 나오는
단어와 문장, 표현들을
Dictation을 통해서
확인하고, 듣기 집중력과
청취력을 향상시킵니다.

Sentence Check

모의고사에 등장하는
핵심 문장을 듣고
확인합니다.

Dialogue Check

모의고사에 등장하는
핵심 대화를 듣고
확인합니다.

Vocabulary

모의고사 15회에
등장하는 모든 단어들을
회별로 다시 한 번 더
확인합니다.

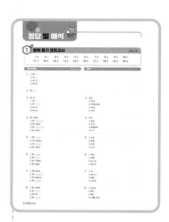

정답 및 해석

모의고사와 Dictation의
답을 확인할 수 있으며,
모의고사에 등장하는
단어와 문장, 대화의
해석을 확인합니다.

C O N T E N T S

| 학습일 | 월 일 | 부모님 확인 | 점수 |

Step 1 Theme Words 학용품

	book	책		pencil	연필
	eraser	지우개		ruler	자
	pencil case	필통		notebook	공책

Step 2 Expressions

● 명사는 우리 주위에 있는 모든 것들의 이름입니다. 이런 명사 중에 셀 수 있는 명사로 단수(하나)일 때는 a나 an을 붙여서 말합니다. 이때 a나 an은 부정관사라고 하며, '하나', '한 개'의 의미를 가지고 있습니다.

a/an + 셀 수 있는 단수명사

· **a book** 책 (한 권)

It is a book. 그것은 책이다.

· **an eraser** 지우개 (한 개)

It is an eraser. 그것은 지우개다.

Tips

▶ 여기서 a는 자음소리로 시작하는 명사 앞에 쓰고, an은 모음소리(a, e, i, o, u)로 시작하는 명사 앞에 사용합니다.

a cat 고양이　　a dog 개
an apple 사과　an egg 달걀

● 무엇인지 물을 때는 의문사 What을 써서 물어봅니다. 여기서 의문사 What은 '무엇'이라는 의미입니다. 우리가 사용하는 학용품이 무엇인지 물을 때도 What을 사용합니다.

A **What** is this?   이것은 무엇이니?

B It is **a book**.   그것은 책이야.

Practice

● 앞에서 배운 학용품을 이용해서 다양한 답변을 만들어 보세요.

It is a ruler. 그것은 자야.   It is a notebook. 그것은 공책이야.

Word Preview

● 문제에 등장하는 단어들을 듣고, 미리 한 번씩 써보세요.

01	what	무엇		02	window	창문	
03	who	누구		04	coat	코트	
05	socks	양말		06	shoes	신발	
07	shirt	셔츠		08	desk	책상	
09	mask	마스크		10	best	최고의	
11	banana	바나나		12	windy	바람 부는	
13	sit	앉다		14	drink	마시다	
15	count	(수를) 세다		16	fish	생선	
17	glasses	안경		18	this	이것	
19	close	닫다		20	door	문	

1

다음을 듣고, 알파벳 카드에 해당하는 소리를 고르시오. ···························· ( )

G g

① ② ③ ④

2

다음을 듣고, 들려주는 소리와 일치하는 알파 벳 카드를 고르시오. ················ ( )

①  **Q q** ② **R r**

③  **A a** ④ **H h**

3

다음 들려주는 낱말과 <u>다르게</u> 소리 나는 낱말을 고르시오. ···························· ( )

① ② ③ ④

4

다음 들려주는 낱말과 소리가 같은 낱말을 고르시오. ······························ ( )

① ② ③ ④

5

다음을 듣고, 그림과 일치하는 낱말을 고르시오. ······························ ( )

① ② ③ ④

6

다음을 듣고, 단어 카드와 일치하는 낱말을 고르시오. ·········· (   )

desk

①   ②   ③   ④

7

다음을 듣고, 학용품을 나타내는 말이 <u>아닌</u> 것을 고르시오. ·········· (   )

①   ②   ③   ④

8

다음을 듣고, 그림과 일치하는 낱말을 고르시오. ·········· (   )

①   ②   ③   ④

9

다음을 듣고, 알맞은 뜻을 고르시오. ·········· (   )

① 생선   ② 포도
③ 소고기   ④ 멜론

10

다음을 듣고, 일치하는 그림을 고르시오. ·········· (   )

①   ②

③   ④

11

다음을 듣고, 상대방에게 사과하는 표현을 고르시오. ·········· (   )

①   ②   ③   ④

12

다음을 듣고, 알맞은 날씨를 고르시오.
································· (   )

14

다음을 듣고, 그림과 일치하는 설명을 고르시오. ································· (   )

①   ②   ③   ④

15

다음 그림을 보고, 남자가 할 말로 가장 적절한 것을 고르시오. ················· (   )

13

다음을 듣고, 올바르게 한 행동을 고르시오.
································· (   )

① 일어선다.
② 문을 닫는다.
③ 손을 든다.
④ 자리에 앉는다.

①   ②   ③   ④

16

다음 대화를 듣고, 아이들이 보고 있는 동물을 고르시오. ····················· (   )

① ② ③ ④

17

다음 대화를 듣고, 내용과 일치하는 그림을 고르시오. ····················· (   )

① ② ③ ④

18

다음 대화를 듣고, 아이들이 필요한 물건을 고르시오. ····················· (   )

① ② ③ ④

19

다음을 듣고, 이어질 말로 알맞은 것을 고르시오. ····························· (   )

M _____

① ② ③ ④

20

다음을 듣고, 이어질 말로 알맞은 것을 고르시오. ····························· (   )

W _____

① ② ③ ④

| 학습일 | 월 | 일 | 부모님 확인 | | 점수 |

● 잘 듣고, 빈칸에 알맞은 말을 쓰세요.

1

다음을 듣고, 알파벳 카드에 해당하는 소리를 고르시오. ·············· (   )

G g

①   ②   ③   ④

❶ W: _____

❷ W: _____

❸ W: Z

❹ W: B

TIPS 알파벳 G g 사운드는 girl(소녀)의 첫소리입니다.

2

다음을 듣고, 들려주는 소리와 일치하는 알파벳 카드를 고르시오. ·············· (   )

① **Q q** ② **R r**

③ **A a** ④ **H h**

M : _____

TIPS 알파벳 Q q 사운드는 queen(여왕)의 첫소리입니다.

3

다음 들려주는 낱말과 <u>다르게</u> 소리 나는 낱말을 고르시오. ·············· (   )

①   ②   ③   ④

W: hi

❶ W: _____

❷ W: _____

❸ W: hi

❹ W: hi

hi 안녕 | hello 안녕하세요

TIPS Hi. / Hello. 모두 인사할 때 쓰는 표현입니다.

4

다음 들려주는 낱말과 소리가 같은 낱말을 고르시오. ·········· (   )

① ② ③ ④

M: what

❶ M: _____

❷ M: what

❸ M: _____

❹ M: who

what 무엇 | window 창문 | welcome 환영하다 | who 누구

5

다음을 듣고, 그림과 일치하는 낱말을 고르시오. ·········· (   )

① ② ③ ④

❶ W: _____

❷ W: socks

❸ W: _____

❹ W: shirt

coat 코트 | socks 양말 | shoes 신발 | shirt 셔츠

TIPS socks와 shoes는 짝을 이루어 사용하므로 주로 뒤에 −s를 붙여 복수형으로 사용합니다.

6

다음을 듣고, 단어 카드와 일치하는 낱말을 고르시오. ·········· (   )

desk

① ② ③ ④

❶ M: _____

❷ M: _____

❸ M: mask

❹ M: best

desk 책상 | dad 아빠 | mask 마스크 | best 최고의

7

다음을 듣고, 학용품을 나타내는 말이 <u>아닌</u> 것을 고르시오. ·········· (   )

① ② ③ ④

❶ W: book

❷ W: _____

❸ W: pencil

❹ W: _____

book 책 | banana 바나나 | pencil 연필 | eraser 지우개

TIPS banana는 과일이고, 나머지는 모두 학용품입니다.

8

다음을 듣고, 그림과 일치하는 낱말을 고르시오. .... (   )

① ② ③ ④

❶ M: drink

❷ M: _____

❸ M: sit

❹ M: _____

drink 마시다 | open 열다 | sit 앉다 | count (수를) 세다

TIPS 그림에서 아이가 문을 열고 있습니다.

9

다음을 듣고, 알맞은 뜻을 고르시오. .... (   )

① 생선　　② 포도
③ 소고기　　④ 멜론

W: _____

fish 생선

10

다음을 듣고, 일치하는 그림을 고르시오. .... (   )

① ②
③ ④

M: _____

glasses 안경

TIPS glasses도 항상 복수형으로 사용합니다.

11

다음을 듣고, 상대방에게 사과하는 표현을 고르시오. .... (   )

① ② ③ ④

❶ W: I'm _____.

❷ W: _____ you.

❸ W: Okay.

❹ W: What's _____?

sorry 미안한 | what 무엇 | this 이것

TIPS 상대방에게 사과할 때는 I'm sorry.로, 고마워할 때는 Thank you. 또는 Thanks.를 사용합니다.

12

다음을 듣고, 알맞은 날씨를 고르시오.
.... ( )

① ② ③ ④

M: It's _____.

windy 바람이 부는

TIPS 날씨를 나타내는 표현에는 이외에도 sunny(맑은), cloudy(흐린), snowy(눈이 오는), rainy(비가 오는) 등이 있습니다.

13

다음을 듣고, 올바르게 한 행동을 고르시오.
.... ( )

① 일어선다.
② 문을 닫는다.
③ 손을 든다.
④ 자리에 앉는다.

W: _____ the door, please.

close 닫다 | door 문

TIPS 상대방에게 행동을 시키는 문장을 명령문이라고 합니다. 명령문에 please를 사용하면 공손한 표현이 됩니다.

14

다음을 듣고, 그림과 일치하는 설명을 고르시오. .... ( )

① ② ③ ④

❶ B: I _____ gimbap.
❷ B: I like _____.
❸ B: I like _____.
❹ B: I like chocolate.

like 좋아하다 | pizza 피자 | chocolate 초콜릿

TIPS 동사 like는 '~을 좋아한다'라는 의미로 뒤에 목적어가 옵니다.

15

다음 그림을 보고, 남자가 할 말로 가장 적절한 것을 고르시오. ·········· (　　　)

① ② ③ ④

❶ M: Yes, I _____.

❷ M: Thank you for the present.

❸ M: It's okay.

❹ M: See you _____.

present 선물 | tomorrow 내일

TIPS 남자가 선물을 받고 있으므로 '고맙다'는 표현이 어울립니다.

16

다음 대화를 듣고, 아이들이 보고 있는 동물을 고르시오. ·········· (　　　)

① ② ③ ④

G: Sam, look over _____.

B: Wow, that rabbit is very _____.

look 바라보다 | fast 빠른 | rabbit 토끼

TIPS 보기의 동물은 각각 turtle(거북), tiger(호랑이), dog(개)입니다.

17

다음 대화를 듣고, 내용과 일치하는 그림을 고르시오. ·········· (　　　)

① ② ③ ④

G: _____ is this?

B: It's a _____.

what 무엇 | book 책

18

다음 대화를 듣고, 아이들이 필요한 물건을 고르시오. ················ (   )

①
②
③
④

B: Let's _____ soccer!

G: _____.

let's ~하자 | soccer 축구 | okay 좋아

TIPS 무엇을 제안할 때 Let's를 써서 '~하자'라고 표현할 수 있습니다.
여기서 운동 이름을 나타내는 soccer(축구) 앞에는 관사(a나 the)를
쓰지 않습니다.

19

다음을 듣고, 이어질 말로 알맞은 것을 고르시오. ················ (   )

M _____

①   ②   ③   ④

W: _____ you like pasta?

❶ M: You're _____.

❷ M: I'm sorry.

❸ M: Thank you.

❹ M: Yes, I _____.

pasta 파스타 | sorry 미안한

TIPS Do로 물어보면 대답도 do를 이용해서 합니다.

20

다음을 듣고, 이어질 말로 알맞은 것을 고르시오. ················ (   )

W _____

①   ②   ③   ④

M: _____ you play the violin?

❶ W: Yes, I _____.

❷ W: Thank you.

❸ W: It's a violin.

❹ W: No, I _____.

play 연주하다 | violin 바이올린

TIPS Can으로 물어보는 의문문에는 대답도 can을 이용해서 합니다.

● 앞에 모의고사에 나온 문장들을 잘 듣고, 한 번씩 써보세요.

01 It's windy. 바람이 분다.

It's windy.

02 Close the door, please. 문을 닫아 주세요.

03 I'm sorry. 미안해.

04 Thank you for the present. 선물 고마워.

05 It's okay. 좋아.

06 Thank you. 고마워.

07 I like pizza. 나는 피자를 좋아한다.

08 See you tomorrow. 내일 보자.

09 You're welcome. 천만에.

10 It's a violin. 그것은 바이올린이야.

● 앞에 모의고사에 나온 대화들을 잘 듣고, 한 번씩 써보세요.

01 **A** What is it? 이것은 뭐니?

B It's a book. 그것은 책이야.

▶ **A** What is it?

B It's a book.

02 **A** Let's play soccer! 축구하자!

B Okay. 좋아.

▶ **A**

B

03 **A** Do you like pasta? 너는 파스타를 좋아하니?

B Yes, I do. 응, 그래.

▶ **A**

B

04 **A** Can you play the violin? 너는 바이올린을 연주할 수 있니?

B No, I can't. 아니, 할 수 없어.

▶ **A**

B

05 **A** Sam, look over there. 샘, 저기를 봐.

B Wow, that rabbit is very fast. 와우, 저 토끼는 매우 빠르다.

▶ **A**

B

02 Warm-up

| 학습일 | 월 일 | 부모님 확인 | 점수 |

Step 1 Theme Words 가족

	mother	어머니		father	아버지
	sister	여동생, 누나		brother	남동생, 형
	grandmother	할머니		grandfather	할아버지
	aunt	이모, 고모		uncle	삼촌

Step 2 Expressions

● 가족을 얘기할 때 흔히 소유격을 사용해서 얘기합니다. 소유격은 '나의', '너의'란 의미로 소유를 나타 낼 때 사용합니다. 여기서는 '나의'라는 의미의 my 표현에 대해 알아보겠습니다.

my + 가족을 의미하는 단어

· **my mother** 나의 어머니

This is my mother. 이분은 나의 어머니이다.

· **my father** 나의 아버지

This is my father. 이분은 나의 아버지이다.

Tips
> ▶ 소유격은 이외에도 다음과 같은 것들 이 있습니다.
> · your 너의/너희들의   · his 그의
> · her 그녀의   · its 그것의
> · our 우리들의   · their 그들의

● 누구인지 물을 때는 의문사 Who을 써서 물어봅니다. 여기서 의문사 Who는 '누구'라는 의미입니다. 가족이 누구인지 물을 때도 Who를 사용합니다.

Ⓐ Who is she? 그녀는 누구니?

Ⓑ She is **my mother**. 그녀는 나의 어머니야.

Practice

● 앞에서 배운 가족을 나타내는 단어들을 이용해서 다양한 답변을 만들어 보세요.

He is my father. 그는 나의 아버지야. **She is my sister.** 그녀는 나의 누나야.

Word Preview

● 문제에 등장하는 단어들을 듣고, 미리 한 번씩 써보세요.

01	party	파티		02	book	책	
03	basket	바구니		04	umbrella	우산	
05	sing	노래하다		06	dance	춤추다	
07	swim	수영하다		08	cry	울다	
09	mountain	산		10	school	학교	
11	store	가게		12	house	집	
13	museum	박물관		14	tiger	호랑이	
15	wash	닦다		16	hand	손	
17	violin	바이올린		18	baseball	야구	
19	weather	날씨		20	happy	행복한	

보통 속도 빠른 속도

| 학습일 | 월 일 | 부모님 확인 | 점수 |

1

다음을 듣고, 알파벳 카드에 해당하는 소리를 고르시오. ···························· (   )

J j

①   ②   ③   ④

2

다음을 듣고, 들려주는 소리와 일치하는 알파벳 카드를 고르시오. ················· (   )

①  B b   ②  R r

③  S s   ④  T t

3

다음 들려주는 낱말과 <u>다르게</u> 소리 나는 낱말을 고르시오. ···························· (   )

①   ②   ③   ④

4

다음 들려주는 낱말과 소리가 같은 낱말을 고르시오. ···························· (   )

①   ②   ③   ④

5

다음을 듣고, 그림과 일치하는 낱말을 고르시오. ···························· (   )

①   ②   ③   ④

6

다음을 듣고, 단어 카드와 일치하는 낱말을 고르시오. ·································· (   )

school

①   ②   ③   ④

7

다음을 듣고, 가족을 나타내는 말이 <u>아닌</u> 것을 고르시오. ·································· (   )

①   ②   ③   ④

8

다음을 듣고, 그림과 일치하는 낱말을 고르시오. ·································· (   )

ERASER

①   ②   ③   ④

9

다음을 듣고, 친구를 만났을 때 하는 표현을 고르시오. ·································· (   )

①   ②   ③   ④

10

다음을 듣고, 누구를 말하는지 고르시오.
·································· (   )

①   ②

③   ④

11

다음을 듣고, 알맞은 뜻을 고르시오.
·································· (   )

① 박물관   ② 병원
③ 식당   ④ 은행

12

다음을 듣고, 아이들이 보고 있는 동물을 고르시오. ································ (   )

①

②

③

④

13

다음을 듣고, 올바르게 한 행동을 고르시오.
································ (   )

① 문을 연다.
② 의자에 앉는다.
③ 세수한다.
④ 손을 씻는다.

14

다음 그림을 보고, 남자 아이가 할 말로 가장 적절한 것을 고르시오. ············· (   )

① ② ③ ④

15

다음을 듣고, 그림과 일치하는 설명을 고르시오. ····························· (   )

① ② ③ ④

16

다음 대화를 듣고, 지금의 날씨를 고르시오.
························· (   )

① ②

③ ④

17

다음 대화를 듣고, 여자 아이의 볼펜 색깔을 고르시오. ························· (   )

① ②

③ ④

18

다음 대화를 듣고, 남자 아이가 무엇을 하고 있는지 고르시오. ··················· (   )

① ②

③ ④

19

다음을 듣고, 이어질 말로 알맞은 것을 고르시오. ····························· (   )

W _____

①   ②   ③   ④

20

다음을 듣고, 이어질 말로 알맞은 것을 고르시오. ····························· (   )

M _____

①   ②   ③   ④

2회 Dictation 영어 듣기 모의고사

학습일   월   일   부모님 확인   점수

● 잘 듣고, 빈칸에 알맞은 말을 쓰세요.

1

다음을 듣고, 알파벳 카드에 해당하는 소리를 고르시오. ·················· (　　)

J j

①   ②   ③   ④

❶ W: K

❷ W: ＿＿＿＿＿＿＿＿＿＿＿＿＿＿＿＿

❸ W: ＿＿＿＿＿＿＿＿＿＿＿＿＿＿＿＿

❹ W: I

TIPS 알파벳 J j 사운드는 juice(주스)의 첫소리입니다.

2

다음을 듣고, 들려주는 소리와 일치하는 알파벳 카드를 고르시오. ··············· (　　)

①  B b
② R r
③ S s
④ T t

M : ＿＿＿＿＿＿＿＿＿＿＿＿＿＿＿＿

TIPS 알파벳 R r 사운드는 room(방)의 첫소리입니다.

3

다음 들려주는 낱말과 <u>다르게</u> 소리 나는 낱말을 고르시오. ·················· (　　)

①   ②   ③   ④

W: ＿＿＿＿＿＿＿＿＿＿＿＿＿＿＿＿

❶ W: good

❷ W: good

❸ W: ＿＿＿＿＿＿＿＿＿＿＿＿＿＿＿＿

❹ W: ＿＿＿＿＿＿＿＿＿＿＿＿＿＿＿＿

good 좋은 | okay 좋아
TIPS Good. / Okay. 모두 긍정을 나타내는 표현입니다.

4

다음 들려주는 낱말과 소리가 같은 낱말을 고르시오. ······························ (   )

① ② ③ ④

M: brother

① M: _____

② M: basket

③ M: _____

④ M: sister

book 책 | basket 바구니 | brother 형 | sister 누나

5

다음을 듣고, 그림과 일치하는 낱말을 고르시오. ······························ (   )

① ② ③ ④

① W: _____

② W: dance

③ W: swim

④ W: _____

sing 노래하다 | dance 춤추다 | swim 수영하다 | cry 울다

TIPS 그림에서 여자가 노래를 부르고 있습니다.

6

다음을 듣고, 단어 카드와 일치하는 낱말을 고르시오. ······························ (   )

school

① ② ③ ④

① M: _____

② M: school

③ M: store

④ M: _____

mountain 산 | school 학교 | store 가게 | house 집

7

다음을 듣고, 가족을 나타내는 말이 아닌 것을 고르시오. ······························ (   )

① ② ③ ④

① W: mother

② W: _____

③ W: party

④ W: _____

mother 어머니 | brother 형 | party 파티 | sister 누나

TIPS 이외에도 가족을 나타내는 말에는 father(아버지), grandmother (할머니), grandfather(할아버지), aunt(고모), uncle(삼촌) 등이 있습니다.

8

다음을 듣고, 그림과 일치하는 낱말을 고르시오. ·········· ( )

①   ②   ③   ④

❶ M: pencil

❷ M: _____

❸ M: book

❹ M: _____

pencil 연필 | eraser 지우개 | book 책 | umbrella 우산

9

다음을 듣고, 친구를 만났을 때 하는 표현을 고르시오. ·········· ( )

①   ②   ③   ④

❶ W: Help me, please.

❷ W: _____ _____.

❸ W: How are you doing?

❹ W: _____.

help 도와주다 | thank 고맙다 | goodbye 잘 가

TIPS Help me.는 도움을 요청할 때, Thank you.는 고마울 때, Goodbye.는 헤어질 때 하는 인사말입니다.

10

다음을 듣고, 누구를 말하는지 고르시오. ·········· ( )

①   ②

③   ④

M: _____

grandmother 할머니

11

다음을 듣고, 알맞은 뜻을 고르시오.
···························· ( )

① 박물관　　② 병원
③ 식당　　　④ 은행

W: _____

museum 박물관

12

다음을 듣고, 아이들이 보고 있는 동물을 고르시오. ···························· ( )

①　②
③　④

B: Look at that _____.

look at ~을 보다 | tiger 호랑이

TIPS '~을 보다'라고 할 때 [look at + 명사]를 사용합니다.
lion은 사자, elephant는 코끼리, squirrel은 다람쥐입니다.

13

다음을 듣고, 올바르게 한 행동을 고르시오.
···························· ( )

① 문을 연다.
② 의자에 앉는다.
③ 세수한다.
④ 손을 씻는다.

W: _____ your hands.

wash 닦다 | your 너의 | hand 손

TIPS '~해라'라고 상대방에게 지시하거나 명령하는 문장을 명령문이라고 합니다. 명령문은 동사원형으로 시작합니다.

14

다음 그림을 보고, 남자 아이가 할 말로 가장 적절한 것을 고르시오. ·········· ( )

①　②　③　④

❶ B: I'm _____.
❷ B: Thanks.
❸ B: Goodbye.
❹ B: Yes, I _____.

sorry 미안한 | thank 감사하다 | goodbye 안녕

TIPS 남자 아이가 유리창을 깬 상황이므로, 이런 상황에서 쓸 수 있는 표현을 골라야 합니다.

15

다음을 듣고, 그림과 일치하는 설명을 고르시오. .... (　　)

① ② ③ ④

❶ G: I can play the violin.

❷ G: I can play the _____.

❸ G: I can swim.

❹ G: I can paly _____.

violin 바이올린 | piano 피아노 | swim 수영하다 | baseball 야구

TIPS 그림에서 아이는 피아노를 연주하고 있습니다. 이처럼 악기를 연주할 때 [play the + 악기명]을 써서 표현합니다.

16

다음 대화를 듣고, 지금의 날씨를 고르시오.
.... (　　)

M: What's the _____ like?

W: It's rainy.

weather 날씨 | rainy 비 오는

TIPS 날씨를 나타내는 표현에는 다음과 같은 것들이 있습니다.
sunny 맑은　windy 바람 부는　cloudy 흐린

17

다음 대화를 듣고, 여자 아이의 볼펜 색깔을 고르시오. .... (　　)

① ② ③ ④

B: Yuri, is this your pen?

G: No, it isn't. My pen is _____.

your 너의 | pen 펜 | my 나의 | red 빨간

18

다음 대화를 듣고, 남자 아이가 무엇을 하고 있는지 고르시오. ·················· (　　)

① ② ③ ④

G: What are you doing?

B: I'm _____ a book.

what 무엇 | read 읽다 | book 책

TIPS 무엇을 하고 있는지 물어볼 때 What are you doing?이라는 표현을 사용합니다. 대답은 하고 있는 일을 [be동사+-ing] 형태로 답하면 됩니다.

19

다음을 듣고, 이어질 말로 알맞은 것을 고르시오. ·················· (　　)

W _____

① ② ③ ④

M: _____ is she?

❶ W: She is my mom.

❷ W: It's _____.

❸ W: I'm _____.

❹ W: This is a pen.

who 누구 | sunny 맑은 | happy 행복한

TIPS Who로 물어보면 누구인지 대답하면 됩니다.

20

다음을 듣고, 이어질 말로 알맞은 것을 고르시오. ·················· (　　)

M _____

① ② ③ ④

W: _____ you swim?

❶ M: I am _____.

❷ M: Thank you.

❸ M: No, I'm not.

❹ M: Yes, I _____.

swim 수영하다 | sorry 미안한

TIPS Can으로 물어보는 의문문에는 대답도 can을 이용해서 Yes, I can. (응, 할 수 있어.)이나 No, I can't.(아니, 할 수 없어.)로 대답합니다.

● 앞에 모의고사에 나온 문장들을 잘 듣고, 한 번씩 써보세요.

01 Look at that tiger. 저 호랑이를 봐라.

Look at that tiger.

02 Wash your hands. 손을 씻어라.

03 Goodbye. 안녕히 가세요.

04 I can play the violin. 나는 바이올린을 켤 수 있다.

05 I can play the piano. 나는 피아노를 칠 수 있다.

06 I can swim. 나는 수영을 할 수 있다.

07 I can play baseball. 나는 야구를 할 수 있다.

08 My pen is red. 내 펜은 빨간색이야.

09 It's sunny. 맑아.

10 This is a pen. 이것은 펜이야.

2 Dialogue Check

● 앞에 모의고사에 나온 대화들을 잘 듣고, 한 번씩 써보세요.

01
 A What's the weather like? 날씨가 어때?
 B It's rainy. 비가 와.

 ▶ **A** What's the weather like?
 B It's rainy.

02
 A Is this your pen? 이게 네 펜이니?
 B No, it isn't. 아니, 그렇지 않아.

 ▶ **A**
 B

03
 A Who is she? 그녀는 누구야?
 B She is my mom. 내 엄마야.

 ▶ **A**
 B

04
 A Can you swim? 너는 수영할 수 있니?
 B Yes, I can. 응, 할 수 있어.

 ▶ **A**
 B

05
 A What are you doing? 뭐하고 있어?
 B I'm reading a book. 나는 책 읽고 있어.

 ▶ **A**
 B

03 Warm-up

| 학습일 | 월   일 | 부모님 확인 | | 점수 |

Step 1 Theme Words 색

	red	빨간			yellow	노란
	green	초록의			blue	파란
	pink	분홍의			orange	주홍의
	white	하얀			black	검은

Step 2 Expressions

● 색을 나타내는 형용사를 사용해서 사물의 색을 표현할 수 있습니다. 형용사는 이처럼 사물을 설명해 주는 말로 명사 앞에 오거나, be동사 다음에 위치합니다. 여기서는 be동사 다음에 와서 주어를 설명하는 방법을 알아보겠습니다.

be동사 + 색을 나타내는 형용사

· **be동사 + green** 초록색이다

The bag is green. 그 가방은 초록색이다.

· **be동사 + black** 검은색이다

The pencil is black. 그 연필은 검은색이다.

Tips

▶ be동사는 '~이다', '~에 있다'라는 뜻으로, 주어에 따라 am, is, are를 씁니다. 주어는 문장에서 어떤 동작이나 상태의 주체가 되는 말로, 주어가 I일 때는 be동사 am을, 단수일 때는 be동사 is를, 그리고 복수일 때는 be동사 are를 사용합니다.

● 색을 물어볼 때는 What을 이용해서 What color로 물어봅니다. 여기서 color는 '색(깔)'이라는 뜻으로 What color is it?은 "그것은 무슨 색이니?"라는 의미입니다.

Ⓐ **What** color is the bag?   그 가방은 무슨 색이니?

Ⓑ The bag is **green**.   그 가방은 초록색이야.

Practice

● 앞에서 배운 색깔을 나타내는 단어들을 이용해서 다양한 답변을 만들어 보세요.

The bag is black. 그 가방은 검은색이야.   The bag is blue. 그 가방은 파란색이야.

Word Preview

● 문제에 등장하는 단어들을 듣고, 미리 한 번씩 써보세요.

01	color	색		02	many	많은	
03	man	남자		04	make	만들다	
05	gloves	장갑		06	socks	양말	
07	glasses	안경		08	sweater	스웨터	
09	jump	뛰어오르다		10	sit	앉다	
11	morning	아침		12	hospital	병원	
13	sad	슬픈		14	need	필요하다	
15	baseball cap	야구모자		16	shower	샤워	
17	door	문		18	order	주문하다	
19	pizza	피자		20	who	누구	

학습일	월 일	부모님 확인	점수

1

다음을 듣고, 알파벳 카드에 해당하는 소리를 고르시오. ················· (   )

①   ②   ③   ④

2

다음을 듣고, 들려주는 소리와 일치하는 알파벳 카드를 고르시오. ·············· (   )

①    ②

③    ④

3

다음 들려주는 낱말과 <u>다르게</u> 소리 나는 낱말을 고르시오. ····························· (   )

①   ②   ③   ④

4

다음 들려주는 낱말과 소리가 같은 낱말을 고르시오. ····························· (   )

①   ②   ③   ④

5

다음을 듣고, 그림과 일치하는 낱말을 고르시오. ····························· (   )

①   ②   ③   ④

6

다음을 듣고, 단어 카드와 일치하는 낱말을 고르시오. ·································· (   )

computer

① ② ③ ④

7

다음을 듣고, 색깔을 나타내는 말이 <u>아닌</u> 것을 고르시오. ·························· (   )

① ② ③ ④

8

다음을 듣고, 그림과 일치하는 낱말을 고르시오. ·································· (   )

① ② ③ ④

9

다음을 듣고, 도움을 요청하는 표현을 고르시오. ·································· (   )

① ② ③ ④

10

다음을 듣고, 알맞은 뜻을 고르시오.
·· (   )

① 도서관　　　　② 병원
③ 학교　　　　　④ 은행

11

다음을 듣고, 아이의 모습으로 적절한 것을 고르시오. ···························· (   )

① ② ③ ④

12

다음을 듣고, 여자 아이가 필요한 사과의 개수를 고르시오. ····························· (   )

①

②

③

④

14

다음 그림과 같은 동작을 시킬 때 해야 할 말을 고르시오. ····························· (   )

①   ②   ③   ④

15

다음 그림을 보고, 엄마가 할 말로 가장 적절한 것을 고르시오. ····················· (   )

13

다음을 듣고, 아이가 가지고 있는 야구모자를 고르시오. ····························· (   )

①

②

③

④

 ①   ③   ④

16

다음 대화를 듣고, 아이가 주문한 음식을 고르시오. ················· (   )

① 　②

③ 　④

18

다음 대화를 듣고, 여자 아이가 연주할 수 있는 악기를 고르시오. ················· (   )

① 　②

③ 　④

19

다음을 듣고, 이어질 말로 알맞은 것을 고르시오. ····························· (   )

W _____

①　　②　　③　　④

17

다음 대화를 듣고, 누구에 대해 말하는지 고르시오. ····························· (   )

① 　②

③ 　④

20

다음을 듣고, 이어질 말로 알맞은 것을 고르시오. ····························· (   )

M _____

①　　②　　③　　④

● 잘 듣고, 빈칸에 알맞은 말을 쓰세요.

1

다음을 듣고, 알파벳 카드에 해당하는 소리를 고르시오. ·········· (   )

①   ②   ③   ④

❶ W: _____

❷ W: A

❸ W: S

❹ W: _____

TIPS 알파벳 L l 사운드는 lion(사자)의 첫소리입니다.

2

다음을 듣고, 들려주는 소리와 일치하는 알파벳 카드를 고르시오. ·········· (   )

①    ②

③   ④

M: _____

TIPS 알파벳 M m 사운드는 man(남자)의 첫소리입니다.

3

다음 들려주는 낱말과 <u>다르게</u> 소리 나는 낱말을 고르시오. ·········· (   )

①   ②   ③   ④

W: _____

❶ W: color

❷ W: color

❸ W: _____

❹ W: _____

color 색 | cold 추운

4

다음 들려주는 낱말과 소리가 같은 낱말을 고르시오. ·············· (　　)

① 　　② 　　③ 　　④

M: many

❶ M: _____

❷ M: man

❸ M: _____

❹ M: make

menu 메뉴 | man 남자 | many 많은 | make 만들다

5

다음을 듣고, 그림과 일치하는 낱말을 고르시오. ······················ (　　)

① 　　② 　　③ 　　④

❶ W: _____

❷ W: socks

❸ W: _____

❹ W: sweater

gloves 장갑 | socks 양말 | glasses 안경 | sweater 스웨터
TIPS 안경은 알이 두 개로 복수 형태로 사용합니다.

6

다음을 듣고, 단어 카드와 일치하는 낱말을 고르시오. ··············· (　　)

computer

① 　　② 　　③ 　　④

❶ M: _____

❷ M: color

❸ M: dog

❹ M: _____

computer 컴퓨터 | color 색 | dog 개 | cat 고양이

7

다음을 듣고, 색깔을 나타내는 말이 아닌 것을 고르시오. ··············· (　　)

① 　　② 　　③ 　　④

❶ W: black

❷ W: _____

❸ W: yellow

❹ W: _____

black 검은 | red 빨간 | yellow 노란 | bus 버스
TIPS 이외에도 색을 나타내는 형용사에는 white(하얀), green(초록의), grey(회색의) 등이 있습니다.

8

다음을 듣고, 그림과 일치하는 낱말을 고르시
오. .... (   )

① ② ③ ④

❶ M: run

❷ M: _____

❸ M: swim

❹ M: _____

run 달리다 | jump 뛰어오르다 | swim 수영하다 | sit 앉다

9

다음을 듣고, 도움을 요청하는 표현을 고르시
오. .... (   )

① ② ③ ④

❶ W: Sorry, I can't.

❷ W: Good _____.

❸ W: It's okay.

❹ W: _____ me, please.

sorry 미안한 | morning 아침 | help 도와주다

TIPS Help me.가 도움을 요청할 때 쓸 수 있는 표현이고, Sorry, I can't.는
부탁을 거절할 때 흔히 쓸 수 있는 표현입니다.

10

다음을 듣고, 알맞은 뜻을 고르시오.
.... (   )

① 도서관   ② 병원
③ 학교   ④ 은행

M: _____

hospital 병원

11

다음을 듣고, 아이의 모습으로 적절한 것을 고
르시오. .... (   )

① ② ③ ④

B: I'm _____.

sad 슬픈

TIPS 감정을 나타내는 단어에는 이외에도 happy(행복한), angry(화난),
surprised(놀란) 등이 있습니다.

12

다음을 듣고, 여자 아이가 필요한 사과의 개수를 고르시오. ·················· (   )

①  ②  ③  ④

G: I _____ six apples.

need 필요하다 | **apple** 사과

TIPS 복수를 나타낼 때는 명사에 −s나 −es를 붙여야 합니다. 여기서는 6개를 의미하는 six가 있으므로 apple을 복수형 apples로 써야 합니다.

13

다음을 듣고, 아이가 가지고 있는 야구모자를 고르시오. ·················· (   )

①  ②  ③  ④

B: I have a _____

_____. It's yellow.

have 가지다 | **baseball cap** 야구모자 | **yellow** 노란

TIPS 색을 나타내는 형용사를 be동사 다음에 써서 색을 표현할 수 있습니다. It's yellow. 그것은 노란색이다.

14

다음 그림과 같은 동작을 시킬 때 해야 할 말을 고르시오. ·················· (   )

① ② ③ ④

❶ M: Close your eyes.

❷ M: _____ down.

❸ M: Take a shower.

❹ M: Open the _____.

close 감다 | **eye** 눈 | **sit** 앉다 | **shower** 샤워 | **open** 열다

TIPS '~해라'라고 상대방에게 지시하거나 명령하는 문장을 명령문이라고 합니다. 명령문은 동사원형으로 시작합니다.

15

다음 그림을 보고, 엄마가 할 말로 가장 적절한 것을 고르시오. ·············· (　　)

① ② ③ ④

❶ W: What's this?

❷ W: Good _____.
　　Sweet dreams.

❸ W: What _____ is this?

❹ W: How's the weather?

sweet 달콤한 | dream 꿈

TIPS 엄마가 아이에게 잘 자라고 인사하는 상황입니다.

16

다음 대화를 듣고, 아이가 주문한 음식을 고르시오. ·························· (　　)

① ②

③ ④

B: Can I _____ pizza?

W: Sure.

order 주문하다 | pizza 피자 | sure 물론

TIPS [Can I order + 명사]는 주문을 할 때 쓰는 표현입니다.

17

다음 대화를 듣고, 누구에 대해 말하는지 고르시오. ·························· (　　)

① ②

③ ④

W: Who's this girl?

M: She is my _____ sister.

who 누구 | girl 소녀 | younger sister 여동생

TIPS Who라고 묻고 있으므로 누구인지 대답해야 합니다.
　　　 참고로 Who로 묻는 의문문은 Yes/No로 대답할 수 없습니다.

18

다음 대화를 듣고, 여자 아이가 연주할 수 있는 악기를 고르시오. ·············· (   )

① (피아노 그림) ② (기타 그림)

③ (트럼펫 그림) ④ (바이올린 그림)

B: Can you _____ the violin?

G: Yes, I can.

play the violin 바이올린을 연주하다

TIPS 악기를 연주할 때 [play the +악기명]을 써서 표현합니다.

19

다음을 듣고, 이어질 말로 알맞은 것을 고르시오. ·············· (   )

W _____

①   ②   ③   ④

M: What _____ is your bag?

❶ W: It's red.

❷ W: It's _____.

❸ W: I like _____.

❹ W: It's a bag.

color 색 | bag 가방 | red 빨간 | windy 바람이 부는 | blue 파란 | bag 가방

TIPS What color로 물어보면 색을 나타내는 형용사를 사용해 대답하면 됩니다.

20

다음을 듣고, 이어질 말로 알맞은 것을 고르시오. ·············· (   )

M _____

①   ②   ③   ④

W: _____ you have a sister?

❶ M: I have a cat.

❷ M: _____, I do.

❸ M: She is my sister.

❹ M: I'm _____.

sister 누나 | cat 고양이 | she 그녀는 | my 나의

TIPS Do로 물어보는 의문문에는 Yes/No로 대답합니다.

Sentence Check

● 앞에 모의고사에 나온 문장들을 잘 듣고, 한 번씩 써보세요.

01 I need six apples. 나는 사과 여섯 개가 필요해.

I need six apples.

02 I have a baseball cap. 나는 야구모자가 있어.

03 It's yellow. 그것은 노란색이야.

04 Close your eyes. 눈을 감아.

05 Take a shower. 샤워를 해.

06 Sit down. 앉아.

07 Good night. 잘 자.

08 What color is this? 이것은 무슨 색이야?

09 Open the door. 문을 열어.

10 She is my sister. 그녀는 내 누나야.

● 앞에 모의고사에 나온 대화들을 잘 듣고, 한 번씩 써보세요.

01 **A** Can I order pizza? 피자 주문해도 돼요?

B Sure. 물론이죠.

▶ **A** Can I order pizza?

B Sure.

02 **A** Who's this girl? 이 소녀는 누구니?

B She is my younger sister. 그녀는 내 여동생이야.

▶ **A**

B

03 **A** Can you play the violin? 너는 바이올린을 켤 수 있니?

B Yes, I can. 응, 할 수 있어.

▶ **A**

B

04 **A** What color is your bag? 네 가방은 무슨 색이니?

B It's red. 빨간색이야.

▶ **A**

B

05 **A** Do you have a sister? 너는 누나가 있니?

B Yes, I do. 응, 있어.

▶ **A**

B

04 Warm-up

| 학습일 | 월 일 | 부모님 확인 | 점수 |

Step 1 Theme Words 날씨

	sunny	맑은		snowy	눈이 오는
	windy	바람이 부는		cloudy	흐린
	rainy	비가 오는		foggy	안개 낀

Step 2 Expressions

● 날씨를 나타내는 형용사를 사용해서 날씨를 표현할 수 있습니다. 날씨 형용사 역시 명사 앞에 오거나 be동사 다음에 위치해서 보충 설명합니다. 주로 명사에 −y를 붙여서 형용사를 만든 형태가 많습니다.

be동사 + 날씨를 나타내는 형용사

· **be동사 + sunny** 맑다

  It is sunny. 맑다.

· **be동사 + snowy** 눈이 온다

  It is snowy. 눈이 온다.

Tips

▶ 여기서 사용한 it은 날씨, 날짜, 요일, 시각 등을 나타내는 '비인칭주어'입니다. 비인칭주어는 '그것'이라고 해석하지 않습니다.

● 날씨를 물어볼 때는 의문사 How를 이용해서 물어봅니다. How는 '어떻게', '어떤'이란 의미로 방법이나 상태를 물어볼 때 사용하는 의문사입니다.

A **How** is the weather today?　오늘 날씨가 어때?

B It is **sunny**.　맑아.

Practice

● 앞에서 배운 날씨를 나타내는 단어들을 이용해서 다양한 답변을 만들어 보세요.

It is **rainy**. 비가 와.　　　　It is **windy**. 바람이 불어.

Word Preview

● 문제에 등장하는 단어들을 듣고, 미리 한 번씩 써보세요.

01	weather	날씨		02	water	물	
03	pet	반려동물		04	dance	춤추다	
05	swim	수영하다		06	sing	노래하다	
07	desk	책상		08	bag	가방	
09	sweet	달콤한		10	today	오늘	
11	soccer	축구		12	badminton	배드민턴	
13	tennis	테니스		14	train	기차	
15	mountain	산		16	angry	화난	
17	open	열다		18	umbrella	우산	
19	guitar	기타		20	swim	수영하다	

1

다음을 듣고, 알파벳 카드에 해당하는 소리를
고르시오. ·····················(　　)

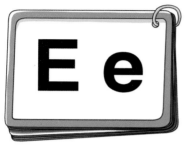

① 　　② 　　③ 　　④

2

다음을 듣고, 들려주는 소리와 일치하는 알파
벳 카드를 고르시오. ···············(　　)

① 　②

③ 　④

3

다음 들려주는 낱말과 <u>다르게</u> 소리 나는 낱말을
고르시오. ·····················(　　)

① 　　② 　　③ 　　④

4

다음 들려주는 낱말과 소리가 같은 낱말을 고르
시오. ·······················(　　)

① 　　② 　　③ 　　④

5

다음을 듣고, 그림과 일치하는 낱말을 고르시
오. ·························(　　)

① 　　② 　　③ 　　④

6

다음을 듣고, 단어 카드와 일치하는 낱말을 고르시오. ····································· (   )

pencil

① ② ③ ④

7

다음을 듣고, 날씨를 나타내는 말이 <u>아닌</u> 것을 고르시오. ····························· (   )

① ② ③ ④

8

다음을 듣고, 그림과 일치하는 낱말을 고르시오. ····································· (   )

① ② ③ ④

9

다음을 듣고, 고마워하는 표현을 고르시오.
····································· (   )

① ② ③ ④

10

다음을 듣고, 어떤 교통수단인지 고르시오.
····································· (   )

① ② ③ ④

11

다음을 듣고, 알맞은 뜻을 고르시오.
····································· (   )

① 산 ② 바다
③ 해변 ④ 호수

12

다음을 듣고, 지금 날씨를 고르시오.
································ (   )

①    ②

③    ④

14

다음을 듣고, 올바르게 한 행동을 고르시오.
································ (   )

① 창문을 연다.
② 상자를 연다.
③ 일어선다.
④ 자리에 앉는다.

13

다음을 듣고, 여자 아이의 모습으로 알맞은 것을 고르시오. ···················· (   )

①    ②

③    ④

15

다음 그림을 보고, 남자 아이가 할 말로 가장 적절한 것을 고르시오. ·············· (   )

①   ②   ③   ④

16

다음 대화를 듣고, 남자 아이가 연주할 수 있는 악기를 고르시오. ·····················(   )

①   ②

③   ④

17

다음 대화를 듣고, 여자가 점심으로 먹을 것을 고르시오. ·····················(   )

①   ②

③   ④

18

다음 대화를 듣고, 여자의 반려동물을 고르시오. ·····················(   )

①   ②

③   ④

19

다음을 듣고, 이어질 말로 알맞은 것을 고르시오. ·····················(   )

W _____

①   ②   ③   ④

20

다음 대화를 듣고, 이어질 말로 알맞은 것을 고르시오. ·····················(   )

B _____

①   ②   ③   ④

학습일	월　일	부모님 확인		점수

● 잘 듣고, 빈칸에 알맞은 말을 쓰세요.

1

다음을 듣고, 알파벳 카드에 해당하는 소리를 고르시오. ·············· ( )

① 　 ② 　 ③ 　 ④

❶ W: _____

❷ W: A

❸ W: _____

❹ W: B

TIPS 알파벳 E e 사운드는 egg(달걀)의 첫소리입니다.

2

다음을 듣고, 들려주는 소리와 일치하는 알파벳 카드를 고르시오. ·············· ( )

①  B b
② I i
③ K k
④ H h

M: _____

TIPS 알파벳 H h 사운드는 house(집)의 첫소리입니다.

3

다음 들려주는 낱말과 다르게 소리 나는 낱말을 고르시오. ·············· ( )

① 　 ② 　 ③ 　 ④

W: _____

❶ W: tennis

❷ W: tennis

❸ W: _____

❹ W: _____

tennis 테니스 | table 테이블, 식탁

4

다음 들려주는 낱말과 소리가 같은 낱말을 고르시오. ···························· (   )

① ② ③ ④

M: weather

❶ M: welcome

❷ M: _____

❸ M: white

❹ M: _____

welcome 환영 | weather 날씨 | white 흰색 | water 물

5

다음을 듣고, 그림과 일치하는 낱말을 고르시오. ···························· (   )

① ② ③ ④

❶ W: _____

❷ W: dance

❸ W: _____

❹ W: sing

sit 앉다 | dance 춤추다 | swim 수영하다 | sing 노래하다
TIPS 그림에서 아이가 춤을 추고 있습니다.

6

다음을 듣고, 단어 카드와 일치하는 낱말을 고르시오. ···························· (   )

pencil

① ② ③ ④

❶ M: _____

❷ M: bag

❸ M: pen

❹ M: _____

desk 책상 | bag 가방 | pen 펜 | pencil 연필

7

다음을 듣고, 날씨를 나타내는 말이 <u>아닌</u> 것을 고르시오. ···························· (   )

① ② ③ ④

❶ W: sunny

❷ W: _____

❸ W: windy

❹ W: _____

sunny 맑은 | rainy 비 오는 | windy 바람 부는 | sweet 달콤한
TIPS 이외에도 날씨를 나타내는 형용사에는 cloudy(흐린), snowy (눈 오는), foggy(안개 낀) 등이 있습니다.

8

다음을 듣고, 그림과 일치하는 낱말을 고르시오. .... (   )

① ② ③ ④

❶ M: soccer

❷ M: _____

❸ M: badminton

❹ M: _____

soccer 축구 | baseball 야구 | badminton 배드민턴 | tennis 테니스

9

다음을 듣고, 고마워하는 표현을 고르시오.
.... (   )

①   ②   ③   ④

❶ W: I'm Cindy.

❷ W: I'm _____.

❸ W: Thank you.

❹ W: You're _____.

sorry 미안한 | thank 감사하다 | welcome 환영받는

TIPS I'm sorry.는 사과할 때, Thank you.는 고마움을 표현할 때, You're welcome.은 "천만에요."라는 의미로 "고맙다."는 말에 대한 대답으로 주로 사용합니다.

10

다음을 듣고, 어떤 교통수단인지 고르시오.
.... (   )

①    ②

③    ④

M: _____

train 기차

TIPS 교통수단을 나타내는 보기의 그림들은 car(자동차), bus(버스), ship (배) 등입니다.

11

다음을 듣고, 알맞은 뜻을 고르시오. ·············· (   )

① 산　　　　　② 바다
③ 해변　　　　④ 호수

W: _____

mountain 산

12

다음을 듣고, 지금 날씨를 고르시오. ·············· (   )

①　②
③　④

M: It's _____.

snow 눈이 내리다

TIPS 현재 '~하고 있다'라는 표현을 나타내기 위해서는 [be동사 + -ing] 형태를 써서 표현합니다.

13

다음을 듣고, 여자 아이의 모습으로 알맞은 것을 고르시오. ·············· (   )

①　②
③　④

W: She is _____.

angry 화가 난

TIPS 감정을 나타내는 형용사에는 happy(행복한), sad(슬픈), surprised(놀란) 등이 있습니다.

14

다음을 듣고, 올바르게 한 행동을 고르시오. ·············· (   )

① 창문을 연다.
② 상자를 연다.
③ 일어선다.
④ 자리에 앉는다.

M: _____ the box, please.

open 열다 | box 박스 | please ~해 주세요

TIPS '~해라'라고 상대방에게 지시하거나 명령하는 문장을 명령문이라고 합니다. 명령문에 please를 붙이면 공손한 표현이 됩니다.

15

다음 그림을 보고, 남자 아이가 할 말로 가장 적절한 것을 고르시오. ·········· (　　)

① ② ③ ④

❶ B: I'm sorry, _____ I can't.

❷ B: I don't like red.

❸ B: I can swim.

❹ B: Yes, I _____.

sorry 미안한 | but 그러나 | red 빨간색 | swim 수영하다

TIPS 그림은 남자 아이가 배를 만지며 손을 흔드는 모습에서 거절하는 상황임을 알 수 있습니다.

16

다음 대화를 듣고, 남자 아이가 연주할 수 있는 악기를 고르시오. ·················· (　　)

G: Hi. Can you _____ the guitar?

B: Yes, I can.

play the guitar 기타를 치다 | can ~할 수 있다

TIPS • Can으로 시작하는 의문문은 대답도 can을 이용해서 해야 합니다.
• 악기를 연주한다고 할 때에는 악기명 앞에 정관사 the를 사용해야 합니다.
play the piano 피아노를 연주하다
play the violin 바이올린을 켜다

17

다음 대화를 듣고, 여자가 점심으로 먹을 것을 고르시오. ·················· (　　)

M: What do you _____ for lunch?

W: I want a _____.

what 무엇 | want 원하다 | lunch 점심(식사) | hamburger 햄버거

TIPS 식사를 나타내는 단어에는 다음과 같은 것들이 있습니다.
breakfast 아침(식사)　　dinner 저녁(식사)

18

다음 대화를 듣고, 여자의 반려동물을 고르시오. ·········· (   )

① ② ③ ④

M: Do you have any _____?

W: Yes, I have a dog.

pet 반려동물 | dog 개

TIPS Do를 이용한 의문문에는 Yes/No로 대답해야 합니다.

19

다음을 듣고, 이어질 말로 알맞은 것을 고르시오. ·················· (   )

W _____

① ② ③ ④

M: How's the _____ today?

❶ W: It's _____.

❷ W: I'm happy.

❸ W: It's an umbrella.

❹ W: Yes, I do.

weather 날씨 | today 오늘 | cloudy 흐린 | happy 행복한 | umbrella 우산

TIPS 날씨를 나타내는 형용사에는 cloudy(흐린), snowy(눈 오는), sunny(맑은), rainy(비 오는), foggy(안개 낀) 등이 있으며, [be동사+날씨를 나타내는 형용사] 형태로 쓸 수 있습니다.

20

다음 대화를 듣고, 이어질 말로 알맞은 것을 고르시오. ·················· (   )

B _____

① ② ③ ④

B: Is dinner _____, Mom?

W: Yes, wash your hands before dinner.

❶ B: Okay, Mom.

❷ B: _____ you.

❸ B: No, I'm not.

❹ B: I'm _____.

ready 준비된 | wash 닦다 | hand 손 | before dinner 저녁식사 전에 | sad 슬픈

TIPS 명령에 대한 대답이 이어져야 합니다. Thank you.는 감사할 때 사용할 수 있습니다.

Sentence Check

● 앞에 모의고사에 나온 문장들을 잘 듣고, 한 번씩 써보세요.

01 It's snowing. 눈이 오고 있어.

It's snowing.

02 I can swim. 나는 수영할 수 있어.

03 She is angry. 그녀는 화가 나 있어.

04 Open the box, please. 상자를 열어 주세요.

05 I'm sorry, but I can't. 미안한데 할 수 없어.

06 I don't like red. 나는 빨간색을 좋아하지 않아.

07 I can swim. 나는 수영할 수 있어.

08 I'm sad. 난 슬퍼요.

09 It's an umbrella. 그것은 우산이야.

10 It's cloudy. 흐려.

4 한 Dialogue Check

● 앞에 모의고사에 나온 대화들을 잘 듣고, 한 번씩 써보세요.

01 **A** Can you play the guitar? 너는 기타를 칠 수 있니?

B Yes, I can. 응, 할 수 있어.

▶ **A** Can you play the guitar?

B Yes, I can.

02 **A** What do you want for lunch? 점심으로 뭐 먹고 싶니?

B I want a hamburger. 나는 햄버거 먹고 싶어.

▶ **A**

B

03 **A** Do you have any pets? 너는 반려동물이 있니?

B Yes, I have a dog. 응, 나는 개가 있어.

▶ **A**

B

04 **A** How's the weather today? 오늘 날씨가 어때?

B It's cloudy. 흐려.

▶ **A**

B

05 **A** Wash your hands before dinner. 저녁식사 전에 손을 씻어라.

B Okay. 예.

▶ **A**

B

05 Warm-up

학습일	월 일	부모님 확인		점수

Step 1 Theme Words 동물

	dog	개		cat	고양이
	tiger	호랑이		lion	사자
	rabbit	토끼		turtle	거북

Step 2 Expressions

● many는 복수명사와 함께 쓰여 수의 '많음'을 나타낼때 사용합니다. many는 부정문이나 의문문 그리고 There are로 시작하는 문장에 주로 사용합니다. many 대신 a lot of를 사용할 수도 있습니다.

many + 셀 수 있는 명사의 복수형

· **many dogs** 많은 개들

There are many dogs in the park.

공원에 많은 개들이 있다.

· **many tigers** 많은 호랑이들

There are many tigers in the zoo.

동물원에 많은 호랑이들이 있다.

Tips

▶ 우리가 흔히 '무엇이 있다'라고 표현할 때 There is/are ~.로 표현할 수 있습니다. 물론 is 다음에는 단수명사가 오고, are 다음에는 복수명사가 옵니다.

● 무엇이 얼마나 있는지 셀 수 있는 명사를 물어볼 때는 의문사 How와 many를 이용해서 물어봅니다.
How many는 '얼마나 많이'라는 의미입니다.

A **How many** dogs do you have?   너는 얼마나 많은 개가 있니?

B I have **two dogs**.   나는 개 두 마리가 있어.

Practice

● 앞에서 배운 동물을 나타내는 단어들을 이용해서 다양한 답변을 만들어 보세요.

I have a cat. 나는 고양이 한 마리가 있어.

I have three turtles. 나는 거북이 세 마리가 있어.

Word Preview

● 문제에 등장하는 단어들을 듣고, 미리 한 번씩 써보세요.

01	eraser	지우개		02	orange	오렌지	
03	seven	7, 일곱		04	friend	친구	
05	fly	날다		06	teacher	선생님	
07	backpack	배낭		08	table	식탁	
09	computer	컴퓨터		10	game	게임	
11	ruler	자		12	gloves	장갑	
13	banana	바나나		14	sunny	맑은	
15	hot	더운		16	snowman	눈사람	
17	ski	스키 타다		18	stand	서 있다	
19	outside	밖으로		20	fishing	낚시	

보통 속도

 빠른 속도

| 학습일 | 월 일 | 부모님 확인 | 점수 |

1

다음을 듣고, 알파벳 카드에 해당하는 소리를 고르시오. ·············· (   )

D d

①   ②   ③   ④

2

다음을 듣고, 들려주는 소리와 일치하는 알파벳 카드를 고르시오. ············· (   )

① **F f**   ② **P p**

③ **D d**   ④ **B b**

3

다음 들려주는 낱말과 <u>다르게</u> 소리 나는 낱말을 고르시오. ·············· (   )

①   ②   ③   ④

4

다음 들려주는 낱말과 소리가 같은 낱말을 고르시오. ·············· (   )

①   ②   ③   ④

5

다음 들려주는 수와 일치하는 숫자 카드를 고르시오. ·············· (   )

① **5**   ② **6**

③ **7**   ④ **8**

6

다음을 듣고, 단어 카드와 일치하는 낱말을 고르시오. ·················· (   )

friend

①   ②   ③   ④

7

다음을 듣고, 동물을 나타내는 낱말이 <u>아닌</u> 것을 고르시오. ·················· (   )

①   ②   ③   ④

8

다음을 듣고, 그림과 일치하는 낱말을 고르시오. ·················· (   )

①   ②   ③   ④

9

다음을 듣고, 알맞은 뜻을 고르시오. ·················· (   )

① 바지   ② 모자
③ 장갑   ④ 양말

10

다음을 듣고, 어떤 과일인지 고르시오. ·················· (   )

①   ②

③   ④

11

다음을 듣고, 헤어질 때 하는 인사말을 고르시오. ·················· (   )

①   ②   ③   ④

12

다음 그림을 보고, 어울리는 날씨 표현을 고르시오. ···················· (   )

①   ②   ③   ④

14

다음을 듣고, 올바르게 한 행동을 고르시오.
·································· (   )

① 일어선다.
② 춤을 춘다.
③ 손을 든다.
④ 자리에 앉는다.

13

다음을 듣고, 남자 아이가 할 수 있는 운동을 고르시오. ····················· (   )

①    ②

③    ④

15

다음 그림을 보고, 남자 아이가 할 말로 가장 적절한 것을 고르시오. ·············· (   )

①   ②   ③   ④

16

다음을 듣고, 여자 아이가 하고 있는 것을 고르시오. ┈┈┈┈┈┈┈┈┈┈┈┈┈ (   )

① 청소   ② 독서
③ 숙제   ④ 컴퓨터 게임

18

다음 대화를 듣고, 남자 아이가 좋아하는 것을 고르시오. ┈┈┈┈┈┈┈┈┈┈ (   )

① ② ③ ④

19

다음을 듣고, 이어질 말로 알맞은 것을 고르시오. ┈┈┈┈┈┈┈┈┈┈┈┈┈ (   )

W _____

①   ②   ③   ④

17

다음 대화를 듣고, 남자 아이가 필요한 것을 고르시오. ┈┈┈┈┈┈┈┈┈┈┈┈ (   )

① ② ③ ④

20

다음 대화를 듣고, 이어질 말로 알맞은 것을 고르시오. ┈┈┈┈┈┈┈┈┈┈┈┈ (   )

M _____

①   ②   ③   ④

| 학습일 | 월 일 | 부모님 확인 | 점수 |

●잘 듣고, 빈칸에 알맞은 말을 쓰세요.

1

다음을 듣고, 알파벳 카드에 해당하는 소리를 고르시오. ·············· (   )

① ② ③ ④

❶ W: B

❷ W: _____

❸ W: _____

❹ W: P

TIPS 알파벳 D d 사운드는 day(날)의 첫소리입니다.

2

다음을 듣고, 들려주는 소리와 일치하는 알파벳 카드를 고르시오. ················ (   )

① F f ② P p
③ D d ④ B b

M : _____

TIPS 알파벳 F f 사운드는 father(아버지)의 첫소리입니다.

3

다음 들려주는 낱말과 <u>다르게</u> 소리 나는 낱말을 고르시오. ················ (   )

① ② ③ ④

W: _____

❶ W: great

❷ W: _____

❸ W: _____

❹ W: great

great 훌륭한 | good 좋은

TIPS Great. / Good.은 대화에서 긍정의 답변을 할 때 흔히 사용합니다.

4

다음 들려주는 낱말과 소리가 같은 낱말을 고르시오. ·········· (   )

① ② ③ ④

M: eraser

❶ M: orange

❷ M: _____

❸ M: book

❹ M: _____

orange 오렌지 | eraser 지우개 | book 책 | pencil 연필

5

다음 들려주는 수와 일치하는 숫자 카드를 고르시오. ·········· (   )

① 5 ② 6

③ 7 ④ 8

W: _____

seven 7, 일곱

TIPS 그림 카드의 숫자는 영어로 5는 five, 6은 six, 8은 eight입니다.

6

다음을 듣고, 단어 카드와 일치하는 낱말을 고르시오. ·········· (   )

friend

① ② ③ ④

❶ M: _____

❷ M: friend

❸ M: _____

❹ M: teacher

mother 어머니 | friend 친구 | fly 날다 | teacher 선생님

7

다음을 듣고, 동물을 나타내는 낱말이 <u>아닌</u> 것을 고르시오. ·········· (   )

① ② ③ ④

❶ W: cat

❷ W: _____

❸ W: tiger

❹ W: _____

cat 고양이 | dog 개 | tiger 호랑이 | backpack 배낭

TIPS backpack은 '배낭'으로 동물을 나타내는 단어가 아닙니다.

8

다음을 듣고, 그림과 일치하는 낱말을 고르시오. ·················· (   )

① ② ③ ④

❶ M: _____

❷ M: desk

❸ M: house

❹ M: _____

table 테이블, 식탁 | desk 책상 | house 집 | chair 의자

9

다음을 듣고, 알맞은 뜻을 고르시오.
·· (   )

① 바지　　② 모자
③ 장갑　　④ 양말

W: _____

gloves 장갑

TIPS gloves처럼 짝을 이루어 하나를 만드는 것에는 복수형을 사용합니다. 이처럼 복수형을 사용하는 명사에는 shoes(신발), socks(양말) 외에 glasses(안경), pants(바지), shorts(반바지) 등이 있습니다.

10

다음을 듣고, 어떤 과일인지 고르시오.
·· (   )

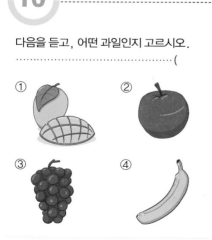

M: _____

banana 바나나

TIPS 보기의 과일들은 각각 mango(망고), apple(사과), grapes(포도)를 나타냅니다.

11

다음을 듣고, 헤어질 때 하는 인사말을 고르시오. ·············· (   )

①   ②   ③   ④

❶ W: _____.

❷ W: Goodbye.

❸ W: I'm _____.

❹ W: Thanks.

sorry 미안한 | thank 감사하다

TIPS 헤어질 때 하는 인사는 Goodbye.입니다. Hello.는 전화할 때, I'm sorry.는 미안할 때, Thanks.는 고마움을 표현할 때 쓸 수 있습니다.

12

다음 그림을 보고, 어울리는 날씨 표현을 고르시오. ·············· (   )

①   ②   ③   ④

❶ M: It's _____.

❷ M: It's sunny.

❸ M: It's _____.

❹ M: It's rainy.

cold 추운 | sunny 맑은 | hot 더운 | rainy 비 오는

TIPS 날씨를 나타내는 형용사는 [be동사+형용사] 표현으로 쓸 수 있으며, 여기서 it은 비인칭주어로 날씨를 표현할 때 사용합니다.

13

다음을 듣고, 남자 아이가 할 수 있는 운동을 고르시오. ·············· (   )

①   ②

③   ④

B: I _____ ski.

ski 스키 타다

TIPS '~할 수 있다'라는 의미를 지닌 조동사는 can입니다. 조동사는 동사를 도와서 의미를 더해주는 역할을 합니다.

14

다음을 듣고, 올바르게 한 행동을 고르시오. ·············· (   )

① 일어선다.
② 춤을 춘다.
③ 손을 든다.
④ 자리에 앉는다.

W: _____ up, please.

stand up 일어서다

TIPS '~해라'라고 상대방에게 지시하거나 명령하는 문장을 명령문이라고 합니다. 명령문은 동사원형으로 시작합니다.

15

다음 그림을 보고, 남자 아이가 할 말로 가장 적절한 것을 고르시오. ·········· (   )

① ② ③ ④

❶ B: Let's _____ outside.

❷ B: Let's go fishing.

❸ B: Let's go swimming.

❹ B: Let's make a _____.

outside 밖으로 | fishing 낚시 | make 만들다 | snowman 눈사람

TIPS 상대방에게 '～하자'라고 권유할 때 [Let's+동사원형] 형태를 써서 표현할 수 있습니다. 이런 문장을 제안문이라고 합니다.

16

다음을 듣고, 여자 아이가 하고 있는 것을 고르시오. ·········· (   )

① 청소　　　　② 독서
③ 숙제　　　　④ 컴퓨터 게임

B: Cindy, what are you doing?

G: I'm _____ a book.

what 무엇 | read 읽다 | book 책

TIPS [be동사 + -ing] 형태는 지금 하고 있는 진행시제를 나타냅니다.

17

다음 대화를 듣고, 남자 아이가 필요한 것을 고르시오. ·········· (   )

B: Mom, it looks like _____.

W: Take an _____ with you when you go out.

look like ~할 것 같다 | rain 비 오다 | umbrella 우산 | go out 외출하다

TIPS 곧 비가 올 것 같은 날씨이므로 외출할 때 우산이 필요합니다.

18

다음 대화를 듣고, 남자 아이가 좋아하는 것을 고르시오. ·················· (   )

① ② ③ ④

G: Do you like cheesecake?

B: No, I _____.

   I like fried chicken.

like 좋아하다 | cheesecake 치즈케이크 | fried chicken 프라이드치킨

TIPS Do를 이용한 의문문에는 Yes/No로 대답해야 합니다.

19

다음을 듣고, 이어질 말로 알맞은 것을 고르시오. ·················· (   )

W _____

① ② ③ ④

M: Do you have a _____?

❶ W: Yes, I do.

❷ W: I love computer _____.

❸ W: Thank you.

❹ W: It's a _____.

computer 컴퓨터 | love 무척 좋아하다 | computer game 컴퓨터 게임 | ruler 자

TIPS Do를 이용한 의문문 Do you have ~?는 '무엇을 가지고 있니?'라는 의미입니다. 이때에도 대답은 Yes/No로 해야 합니다.

20

다음 대화를 듣고, 이어질 말로 알맞은 것을 고르시오. ·················· (   )

M _____

① ② ③ ④

M: I have cats.

W: How _____ cats do you have?

❶ M: I _____ a book.

❷ M: They are pencils.

❸ M: I have three dogs.

❹ M: I have _____ cats.

have 가지다 | many 많은 | book 책 | pencil 연필

TIPS How many ~? 의문문은 '얼마나 많이'로 묻고 있으므로 주로 셀 수 있는 명사의 수치로 답할 수 있습니다.

● 앞에 모의고사에 나온 문장들을 잘 듣고, 한 번씩 써보세요.

01 It's cold. 춥다.

It's cold.

02 It's hot. 덥다.

03 I can ski. 나는 스키를 탈 수 있어.

04 Stand up, please. 일어서 주세요.

05 Let's go outside. 밖에 나가자.

06 Let's go fishing. 낚시하러 가자.

07 Let's go swimming. 수영하러 가자.

08 Let's make a snowman. 눈사람을 만들자.

09 I love computer games. 나는 컴퓨터 게임을 좋아해.

10 I have a book. 나는 책이 있어.

● 앞에 모의고사에 나온 대화들을 잘 듣고, 한 번씩 써보세요.

01　**A** What are you doing? 뭐하고 있어?

　　B I'm reading a book. 나는 책을 읽고 있어.

　　▶ **A** What are you doing?

　　　 B I'm reading a book.

02　**A** It looks like rain. 비가 올 것 같아.

　　B Take an umbrella with you when you go out. 외출할 때 우산 가져가.

　　▶ **A**

　　　 B

03　**A** Do you like cheesecake? 너는 치즈케이크를 좋아하니?

　　B No, I don't. I like fried chicken. 아니, 그렇지 않아. 나는 프라이드치킨을 좋아해.

　　▶ **A**

　　　 B

04　**A** Do you have a computer? 너는 컴퓨터가 있니?

　　B Yes, I do. 응, 있어.

　　▶ **A**

　　　 B

05　**A** How many cats do you have? 고양이들이 몇 마리 있어?

　　B I have two cats. 나는 고양이 두 마리가 있어.

　　▶ **A**

　　　 B

| 학습일 | 월 일 | 부모님 확인 | | 점수 |

Step 1 · Theme Words · 동작 동사

	dance	춤추다		swim	수영하다
	sing	노래하다		run	달리다
	dive	다이빙하다		jump	뛰어오르다

Step 2 · Expressions

● 조동사 can은 '~할 수 있다'라는 뜻으로 능력이나 가능을 나타낼 때 사용합니다. 조동사는 동사를 도와주는 역할을 하는 것으로, can은 동사의 의미에 능력이나 가능의 의미를 더하는 역할을 합니다. 이때 조동사 can 다음에 오는 동사는 동사원형으로 써야 합니다.

can + 동사원형

· **can dance** 춤출 수 있다

  I can dance well. 나는 춤을 잘 출 수 있다.

· **can swim** 수영할 수 있다

  He can swim. 그는 수영할 수 있다.

Tips

▶ 조동사 can의 부정은 not을 붙여서 cannot으로 씁니다. 이때 cannot은 '~할 수 없다'는 의미이고, 줄여서 can't로 쓸 수도 있습니다.

● 무엇을 할 수 있는지 물을 때는 조동사 Can을 문장 맨 앞으로 이동해서 물어볼 수 있습니다.
이처럼 조동사를 이용한 의문문은 Yes/No로 답변해야 합니다.

A **Can** you jump high?   너는 높이 뛰어오를 수 있니?

B Yes, I **can**.   응, 할 수 있어.

Practice

● 앞에서 배운 동사를 이용해서 다양한 의문문을 만들어 보세요.

Can you drive? 너는 운전할 수 있니?   **Can** you swim? 너는 수영할 수 있니?

Word Preview

● 문제에 등장하는 단어들을 듣고, 미리 한 번씩 써보세요.

01	bag	가방		02	ball	공	
03	bear	곰		04	eight	8, 여덟	
05	bicycle	자전거		06	balloon	풍선	
07	cry	울다		08	playground	놀이터	
09	tennis	테니스		10	baseball	야구	
11	eat	먹다		12	soccer	축구	
13	snowman	눈사람		14	open	열다	
15	birthday	생일		16	this	이것, 이 사람	
17	sing	노래하다		18	swim	수영하다	
19	year	연, 해		20	old	늙은, 나이 먹은	

6^회 영어 듣기 모의고사

 보통 속도 빠른 속도

학습일	월 일	부모님 확인	점수

1

다음을 듣고, 들려주는 소리와 일치하는 알파벳 카드를 고르시오. ················ (   )

① **K k**   ② **M m**

③ **J j**   ④ **C c**

2

다음을 듣고, 첫소리가 <u>다른</u> 낱말을 고르시오.
······························ (   )

①   ②   ③   ④

3

다음 들려주는 낱말과 <u>다르게</u> 소리 나는 낱말을 고르시오. ····························· (   )

①   ②   ③   ④

4

다음 들려주는 낱말과 소리가 같은 낱말을 고르시오. ································· (   )

①   ②   ③   ④

5

다음 들려주는 수와 일치하는 숫자 카드를 고르시오. ································ (   )

① **7**   ② **8**

③ **9**   ④ **10**

6

다음을 듣고, 단어 카드와 일치하는 낱말을 고르시오. ·· (   )

bicycle

①   ②   ③   ④

7

다음을 듣고, 동작을 나타내는 낱말이 <u>아닌</u> 것을 고르시오. ····················· (   )

①   ②   ③   ④

8

다음을 듣고, 그림과 일치하는 낱말을 고르시오. ······································· (   )

①   ②   ③   ④

9

다음을 듣고, 알맞은 뜻을 고르시오.
································· (   )

① 식당   ② 놀이터
③ 학교   ④ 도서관

10

다음을 듣고, 어떤 상황에서 쓰는 표현인지 고르시오. ························· (   )

① 사과할 때   ② 물어볼 때
③ 처음 만났을 때   ④ 헤어질 때

11

다음을 듣고, 여자 아이가 할 수 있는 운동을 고르시오. ···················· (   )

①   ②
③   ④

12

다음을 듣고, 그림과 일치하는 설명을 고르시오. ·································· (   )

①   ②   ③   ④

13

다음 그림과 같은 행동을 하려면 어떻게 말해야 할지 고르시오. ·················· (   )

①   ②   ③   ④

14

다음 그림을 보고, 여자 아이가 할 말로 알맞은 것을 고르시오. ····················· (   )

①   ②   ③   ④

15

다음을 듣고, 이어질 말로 알맞은 것을 고르시오. ································ (   )

M _____

① It's cold.
② It's a book.
③ It's big.
④ He is my dad.

16

다음 대화를 듣고, 두 사람이 필요한 물건을 고르시오. ……………………… (   )

①

②

③

④

17

다음 대화를 듣고, 여자 아이가 하고 있는 것을 고르시오. ……………………… (   )

①

②

③

④

18

다음 대화를 듣고, 여자가 키우는 고양이는 몇 마리인지 고르시오. ……………… (   )

① 1마리   ② 2마리

③ 3마리   ④ 4마리

19

다음을 듣고, 이어질 말로 알맞은 것을 고르시오. …………………………… (   )

W _____

①   ②   ③   ④

20

다음을 듣고, 이어질 말로 알맞은 것을 고르시오. …………………………… (   )

B _____

①   ②   ③   ④

● 잘 듣고, 빈칸에 알맞은 말을 쓰세요.

1

다음을 듣고, 들려주는 소리와 일치하는 알파벳 카드를 고르시오. ·············· (   )

① K k
② M m
③  J j
④ C c

W: _____

TIPS 알파벳 J j 사운드는 jam(잼)의 첫소리입니다.

2

다음을 듣고, 첫소리가 <u>다른</u> 낱말을 고르시오.
··············· (   )

①   ②   ③   ④

❶ M: bag

❷ M: _____

❸ M: pen

❹ M: _____

bag 가방 | ball 공 | pen 펜 | bear 곰

3

다음 들려주는 낱말과 <u>다르게</u> 소리 나는 낱말을 고르시오. ·············· (   )

①   ②   ③   ④

W: _____

❶ W: talk

❷ W: talk

❸ W: _____

❹ W: talk

talk 말하다 | take 가져가다

TIPS 두 명 이상이 대화하는 경우에는 talk를 사용합니다.

4

다음 들려주는 낱말과 소리가 같은 낱말을 고르시오. ·········· (　　)

① 　　② 　　③ 　　④

M: swim

❶ M: swim

❷ M: _____

❸ M: jump

❹ M: _____

swim 수영하다 | run 달리다 | jump 뛰어오르다 | dance 춤추다

5

다음 들려주는 수와 일치하는 숫자 카드를 고르시오. ·········· (　　)

① **7** 　　② **8**

③ **9** 　　④ **10**

W: _____

eight 8, 여덟

TIPS 그림 카드의 7는 seven, 9는 nine, 10은 ten입니다.

6

다음을 듣고, 단어 카드와 일치하는 낱말을 고르시오. ·········· (　　)

bicycle

① 　　② 　　③ 　　④

❶ M: _____

❷ M: _____

❸ M: banana

❹ M: balloon

ball 공 | bicycle 자전거 | banana 바나나 | balloon 풍선

7

다음을 듣고, 동작을 나타내는 낱말이 <u>아닌</u> 것을 고르시오. ·········· (　　)

① 　　② 　　③ 　　④

❶ W: jump

❷ W: _____

❸ W: run

❹ W: _____

jump 뛰어오르다 | book 책 | run 달리다 | walk 걷다

TIPS book은 '책'으로 동사가 아닌 명사입니다.

8

다음을 듣고, 그림과 일치하는 낱말을 고르시오. ………… ( )

① ② ③ ④

❶ M: smile

❷ M: _____

❸ M: swim

❹ M: _____

smile 미소 짓다 | talk 말하다 | swim 수영하다 | cry 울다

TIPS 그림에서 아기가 울고 있습니다.

9

다음을 듣고, 알맞은 뜻을 고르시오.
………………………………………… ( )

① 식당　　　　② 놀이터
③ 학교　　　　④ 도서관

W: _____

playground 놀이터

10

다음을 듣고, 어떤 상황에서 쓰는 표현인지 고르시오. ……………………… ( )

① 사과할 때　　　② 물어볼 때
③ 처음 만났을 때　④ 헤어질 때

M: Nice to _____ you.

nice 좋은 | meet 만나다

TIPS 처음 만났을 때 쓸 수 있는 표현입니다.

11

다음을 듣고, 여자 아이가 할 수 있는 운동을 고르시오. ……………………… ( )

① ②
③ ④

G: I _____ play badminton.

can ~할 수 있다 | play badminton 배드민턴을 치다

TIPS • 능력이나 가능을 말할 때는 조동사 can을 사용합니다.
• [play+운동명] 형태로 쓸 수 있으며, 이때 정관사 the는 사용하지 않습니다.

12

다음을 듣고, 그림과 일치하는 설명을 고르시오. ·········· (　　)

① ② ③ ④

❶ M: The man is eating pizza.

❷ M: The man is _____ pizza.

❸ M: The man is eating a hamburger.

❹ M: The man is _____ soccer.

eat 먹다 | pizza 피자 | make 만들다 | hamburger 햄버거 | soccer 축구

TIPS 그림에서 남자는 햄버거를 먹고 있습니다. 이처럼 무엇을 하고 있다고 표현할 때는 [be동사+ −ing] 형태로 표현합니다.

13

다음 그림과 같은 행동을 하려면 어떻게 말해야 할지 고르시오. ·············· (　　)

① ② ③ ④

❶ B: Let's play _____.

❷ B: Let's play tennis.

❸ B: Let's make a snowman.

❹ B: Let's _____.

play soccer 축구하다 | play tennis 테니스 치다 | snowman 눈사람 | swim 수영하다

TIPS '~하자'고 권유할 때 [Let's+동사원형]을 써서 표현할 수 있습니다. 또한 play와 함께 사용하는 운동명 앞에는 정관사 the를 사용하지 않습니다.

14

다음 그림을 보고, 여자 아이가 할 말로 알맞은 것을 고르시오. ·············· (　　)

① ② ③ ④

❶ G: Open the door.

❷ G: Nice to meet you!

❸ G: I'm sorry, _____ I can't.

❹ G: Happy _____.

open 열다 | door 문 | but 그러나 | birthday 생일

TIPS 생일인 친구에게 할 수 있는 표현을 찾아보세요.

15

다음을 듣고, 이어질 말로 알맞은 것을 고르시오. .... (   )

M _____

① It's cold.
② It's a book.
③ It's big.
④ He is my dad.

W: What's _____?

M: _____

what 무엇 | this 이것, 이 사람

TIPS 의문사 What을 이용한 의문문에는 Yes/No로 대답할 수 없고, '무엇' 에 대한 대답을 해야 합니다.

16

다음 대화를 듣고, 두 사람이 필요한 물건을 고르시오. .... (   )

① ②
③ ④

B: How's the weather?

G: It's sunny. Let's go _____.

B: Sounds good.

weather 날씨 | sunny 맑은 | swim 수영하다

TIPS 날씨를 묻는 표현에는 How's the weather? 이외에 What's the weather like?로 물을 수도 있습니다.

17

다음 대화를 듣고, 여자 아이가 하고 있는 것을 고르시오. .... (   )

① ②
③ ④

B: _____ are you doing?

G: I'm singing.

what 무엇 | sing 노래하다

TIPS 무엇을 하고 있다고 할 때에는 [be동사+ -ing] 형태로 표현합니다.

18

다음 대화를 듣고, 여자가 키우는 고양이는 몇 마리인지 고르시오. ·············· (　　)

① 1마리　　　② 2마리
③ 3마리　　　④ 4마리

M: _____ you have three cats?

W: No, I have _____ cats.

have 가지다 | cat 고양이

TIPS Do를 이용한 의문문에는 Yes/No로 대답해야 합니다.

19

다음을 듣고, 이어질 말로 알맞은 것을 고르시오. ·············· (　　)

W _____

①　　　②　　　③　　　④

M: _____ you swim?

❶ W: No, I don't.

❷ W: Yes, I _____.

❸ W: I can _____ well.

❹ W: It's a dog.

swim 수영하다 | dance 춤추다 | dog 개

TIPS Can 조동사를 이용한 의문문은 '~할 수 있니?'라는 의미로 이때에도 대답은 Yes/No로 해야 합니다.

20

다음을 듣고, 이어질 말로 알맞은 것을 고르시오. ·············· (　　)

B _____

①　　　②　　　③　　　④

W: _____ old are you?

❶ B: Yes, I have.

❷ B: She is a teacher.

❸ B: I'm _____ years old.

❹ B: I'm _____.

year 연, 해 | old 나이 먹은, 늙은 | teacher 선생님

TIPS How old are you?는 의문사 How를 이용한 의문문으로 나이를 물을 때 쓰는 표현입니다.

6 회 Sentence Check

앞에 모의고사에 나온 문장들을 잘 듣고, 한 번씩 써보세요.

01 Nice to meet you. 만나서 반가워.

Nice to meet you.

02 The man is eating pizza. 남자가 피자를 먹고 있어.

03 Let's play soccer. 축구하자.

04 Let's swim. 수영하자.

05 Let's play tennis. 테니스 치자.

06 Open the door. 문을 열어라.

07 Happy birthday. 생일 축하해.

08 I can dance well. 나는 춤을 잘 출 수 있어.

09 It's a dog. 그것은 개야.

10 I'm fine. 나는 잘 지내요.

● 앞에 모의고사에 나온 대화들을 잘 듣고, 한 번씩 써보세요.

01 **A** How's the weather? 날씨가 어때?

  B It's sunny. 맑아.

  ▶ **A** How's the weather?

  B It's sunny.

02 **A** What are you doing? 너는 뭐하고 있니?

  B I'm singing. 나는 노래하고 있어.

  ▶ **A**

  B

03 **A** Do you have three cats? 너는 고양이가 세 마리 있니?

  B No, I have two cats. 아니, 고양이가 두 마리 있어.

  ▶ **A**

  B

04 **A** Can you swim? 너는 수영할 수 있니?

  B Yes, I can. 응, 할 수 있어.

  ▶ **A**

  B

05 **A** How old are you? 너는 몇 살이니?

  B I'm ten years old. 나는 10살이에요.

  ▶ **A**

  B

Step 1   Theme Words   숫자

	ten	10		eleven	11
	twelve	12		thirteen	13
	fourteen	14		fifteen	15

Step 2   Expressions

● 나이를 표현할 때는 [숫자 + years old] 형태를 사용해서 표현합니다. 이때 years는 앞의 숫자가 둘 이상일 때 사용하는 복수형 명사로 year에 –s를 붙인 것입니다.

숫자 + **years old**

· **ten years old** 10살이다

    I am ten years old. 나는 10살이다.

· **eleven years old** 11살이다

    He is eleven years old. 그는 11살이다.

Tips

▶ 이때 숫자가 둘 이상이 아닌 one인 경우에는 one year old이며 year에 –s를 붙이지 않습니다. The baby is one year old. 그 아기는 한 살이다.

- 나이를 물을 때는 의문사 How에 old를 붙인 How old로 물어볼 수 있습니다. How old는 '얼마나 나이 든'의 의미입니다. 여기에 대한 답변은 Yes/No로 답할 수 없습니다.

A **How** old are you?   너는 몇 살이니?

B I'm **10** years old.   나는 10살이야.

Practice

- 앞에서 배운 숫자 표현을 이용해서 다양한 답변을 만들어 보세요.

I'm **13** years old. 나는 13살이야.   I'm **15** years old. 나는 15살이야.

Word Preview

- 문제에 등장하는 단어들을 듣고, 미리 한 번씩 써보세요.

01	table	식탁	
03	door	문	
05	throw	던지다	
07	ear	귀	
09	mouth	입	
11	bird	새	
13	knee	무릎	
15	headache	두통	
17	color	색	
19	aunt	고모, 이모	

02	towel	수건	
04	free	자유로운	
06	fish	물고기	
08	nose	코	
10	airplane	비행기	
12	boat	보트	
14	hurt	다치다	
16	cold	감기	
18	pencil case	필통	
20	hungry	배고픈	

| 학습일 | 월 일 | 부모님 확인 | | 점수 |

1

다음을 듣고, 들려주는 소리와 일치하는 알파벳 카드를 고르시오. ·············· (   )

①  ②

③  ④

2

다음을 듣고, 첫소리가 다른 낱말을 고르시오.
··· (   )

①   ②   ③   ④

3

다음 들려주는 낱말과 다르게 소리 나는 낱말을 고르시오. ····························· (   )

①   ②   ③   ④

4

다음 들려주는 낱말과 소리가 같은 낱말을 고르시오. ······································· (   )

①   ②   ③   ④

5

다음을 듣고, 낱말과 일치하는 것을 고르시오.
··· (   )

①  ②

③  ④

6

다음을 듣고, 단어 카드와 일치하는 낱말을 고르시오. ······················· (   )

nose

①   ②   ③   ④

7

다음을 듣고, 숫자를 나타내는 낱말이 <u>아닌</u> 것을 고르시오. ······················· (   )

①   ②   ③   ④

8

다음을 듣고, 그림과 일치하는 낱말을 고르시오. ······················· (   )

①   ②   ③   ④

9

다음을 듣고, 알맞은 숫자를 고르시오. ······························· (   )

① 14   ② 12
③ 40   ④ 11

10

다음을 듣고, 어떤 상황에서 쓰는 표현인지 고르시오. ·························· (   )

① 사과할 때   ② 감사할 때
③ 안부 물을 때   ④ 헤어질 때

11

다음을 듣고, 아이의 나이를 고르시오. ······························· (   )

① 8살   ② 9살
③ 10살   ④ 11살

12

다음을 듣고, 그림과 일치하는 설명을 고르시오. ·························· (   )

①   ②   ③   ④

13

다음 그림과 같은 행동을 시키려면 어떻게 말해야 할지 고르시오. ··············· (   )

①   ②   ③   ④

14

다음 그림을 보고, 남자 아이가 할 말로 알맞은 것을 고르시오. ····················· (   )

①   ②   ③   ④

15

다음을 듣고, 이어질 말로 알맞은 것을 고르시오. ································· (   )

M _____

① Yes, please.
② I'm sorry.
③ My name is Tom.
④ It's 10 o'clock.

16

다음 그림을 보고, 그림과 일치하는 대화를 고르시오. ………………………………… (   )

①   ②   ③   ④

17

다음 대화를 듣고, 여자 아이의 필통을 고르시오. ………………………………… (   )

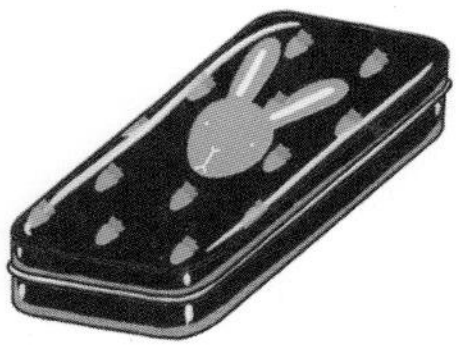

18

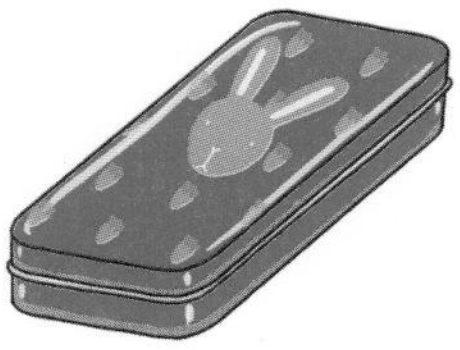

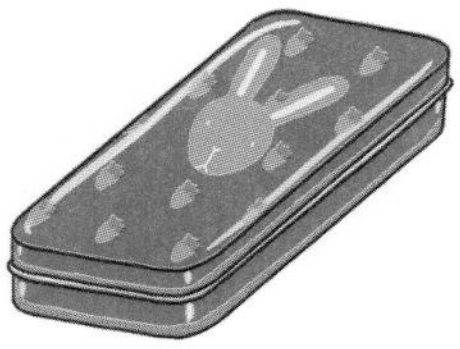

다음 대화를 듣고, 누구를 말하는지 고르시오. ………………………………… (   )

① 엄마   ② 선생님
③ 고모   ④ 누나

19

다음을 듣고, 이어질 말로 알맞은 것을 고르시오. ………………………………… (   )

G _____

①   ②   ③   ④

20

다음을 듣고, 이어질 말로 알맞은 것을 고르시오. ………………………………… (   )

M _____

①   ②   ③   ④

학습일	월	일	부모님 확인	점수

● 잘 듣고, 빈칸에 알맞은 말을 쓰세요.

1

다음을 듣고, 들려주는 소리와 일치하는 알파벳 카드를 고르시오. ·············· (   )

①  Ii

② Tt

③  Ww

④ Kk

W: _____

TIPS 알파벳 K k 사운드는 Korea(한국)의 첫소리입니다.

2

다음을 듣고, 첫소리가 <u>다른</u> 낱말을 고르시오.
·············· (   )

①   ②   ③   ④

❶ M: _____

❷ M: tall

❸ M: towel

❹ M: _____

table 식탁 | tall 키가 큰 | towel 수건 | door 문

TIPS 알파벳 D d 사운드와 T t 사운드를 구분해 보세요.

3

다음 들려주는 낱말과 <u>다르게</u> 소리 나는 낱말을 고르시오. ·············· (   )

①   ②   ③   ④

W: _____

❶ W: speak

❷ W: speak

❸ W: _____

❹ W: speak

speak 말하다 | play 놀다

TIPS '영어로 말하다'라고 할 때는 speak English라고 합니다.

4

다음 들려주는 낱말과 소리가 같은 낱말을 고르시오. ·· (   )

①   ②   ③   ④

M: three

❶ M: tree

❷ M: _____

❸ M: throw

❹ M: _____

three 3, 셋 | tree 나무 | free 자유로운 | throw 던지다

5

다음을 듣고, 낱말과 일치하는 것을 고르시오. ·· (   )

①   ②

③   ④

W: _____

fish 물고기

6

다음을 듣고, 단어 카드와 일치하는 낱말을 고르시오. ·· (   )

nose

①   ②   ③   ④

❶ M: _____

❷ M: mouth

❸ M: _____

❹ M: eye

ear 귀 | mouth 입 | nose 코 | eye 눈

TIPS 단어 카드의 nose(코) 외에 얼굴에는 ear(귀), mouth(입), eye(눈) 등이 있습니다.

7

다음을 듣고, 숫자를 나타내는 낱말이 <u>아닌</u> 것을 고르시오. ·· (   )

①   ②   ③   ④

❶ W: ten

❷ W: _____

❸ W: tennis

❹ W: _____

ten 10, 열 | twelve 12, 열둘 | tennis 테니스 | fifteen 15, 열다섯

TIPS tennis(테니스)는 운동을 나타내는 명사입니다.

8

다음을 듣고, 그림과 일치하는 낱말을 고르시오. ·········· (　　)

① 　② 　③ 　④

① M: _____

② M: train

③ M: boat

④ M: _____

airplane 비행기 | train 기차 | boat 보트 | bird 새

9

다음을 듣고, 알맞은 숫자를 고르시오.
·········· (　　)

① 14 　　② 12
③ 40 　　④ 11

W: _____

fourteen 14, 열넷

10

다음을 듣고, 어떤 상황에서 쓰는 표현인지 고르시오. ·········· (　　)

① 사과할 때 　② 감사할 때
③ 안부 물을 때 　④ 헤어질 때

M: _____ are you?

TIPS How are you?는 어떻게 지내는지 안부를 물을 때 쓰는 표현입니다. 이외에도 How are you doing?이나 How's it going? 등이 있습니다.

11

다음을 듣고, 아이의 나이를 고르시오.
·········· (　　)

① 8살 　　② 9살
③ 10살 　　④ 11살

G: I'm _____ years old.

nine 9, 아홉 | year 연, 해 | old 나이 든

TIPS How old are you?(너는 몇 살이니?)에 대한 답변으로 나이를 표현할 때 [숫자 + years old]로 표현할 수 있습니다.

12

다음을 듣고, 그림과 일치하는 설명을 고르시오. ································· (   )

① ② ③ ④

❶ M: The girl _____ a dog.

❷ M: The girl has two cats.

❸ M: The girl has _____ cats.

❹ M: The girl has three dogs.

have 가지고 있다 | three 3, 셋

TIPS 그림에서 소녀가 고양이 세 마리와 함께 있습니다.

13

다음 그림과 같은 행동을 시키려면 어떻게 말해야 할지 고르시오. ················· (   )

① ② ③ ④

❶ W: Open your _____, please.

❷ W: Open the door, please.

❸ W: Close the door, please.

❹ W: _____ your eyes, please.

open 열다 | eye 눈 | door 문 | close 닫다

TIPS 그림에서 아이가 눈을 떴다가 지시를 듣고 눈을 감았습니다.

14

다음 그림을 보고, 남자 아이가 할 말로 알맞은 것을 고르시오. ················· (   )

① ② ③ ④

❶ B: I _____ good.

❷ B: I hurt my _____.

❸ B: I have a headache.

❹ B: I have a cold.

feel 느끼다 | good 좋은 | hurt 다치다 | knee 무릎 | headache 두통 | cold 감기

TIPS 아픈 곳을 말할 때 have를 써서 표현할 수 있습니다.
have a headache 두통이 있다   have a toothache 치통이 있다
have an earache 귀가 아프다

15

다음을 듣고, 이어질 말로 알맞은 것을 고르시오. .... (　　)

M _____

① Yes, please.
② I'm sorry.
③ My name is Tom.
④ It's 10 o'clock.

W: May I _____ you?

M: _____

help 돕다

TIPS 이처럼 '도와드릴까요?'라는 표현에는 이외에도 How may I help you? / Can I help you? / What can I do for you? 등을 쓸 수 있습니다.

16

다음 그림을 보고, 그림과 일치하는 대화를 고르시오. .... (　　)

①　　②　　③　　④

❶ W: How are you?

　 M: I'm _____ .

❷ W: What is it?

　 M: It's an eraser.

❸ W: How's the weather today?

　 M: It's very _____ .

❹ W: Can you swim?

　 M: Yes, I can.

eraser 지우개 | weather 날씨 | hot 더운 | swim 수영하다

TIPS 의문사 How, What 등이 있는 의문문은 Yes/No로 답할 수 없고, 조동사 Can, May 등의 의문문은 Yes/No로 답해야 합니다.

17

다음 대화를 듣고, 여자 아이의 필통을 고르시오. .... (　　)

①　　②
③　　④

B: What _____ is your pencil case?

G: It's _____ .

color 색 | pencil case 필통 | green 초록의

TIPS What color ~?는 색을 물을 때 쓰는 표현입니다.

18

다음 대화를 듣고, 누구를 말하는지 고르시오.
.... ( )

① 엄마 　　　　② 선생님
③ 고모 　　　　④ 누나

G: Is this your teacher?

B: No, she is my _____.

　　She's from Korea.

teacher 선생님 | **my** 나의 | **aunt** 고모

TIPS my는 소유격으로 뒤에 명사가 옵니다.
　　　　my 나의　your 너(너희)의　his 그의　her 그녀의　our 우리의

19

다음을 듣고, 이어질 말로 알맞은 것을 고르시
오. .... ( )

G _____

① 　　② 　　③ 　　④

M: Are you hungry?

❶ G: I'm _____ years old.

❷ G: I have ten apples.

❸ G: Yes, it's _____.

❹ G: No, I'm not.

hungry 배고픈 | **old** 오래된, 나이 든

TIPS Be동사 의문문에 대한 대답은 Yes/No로 해야 합니다.

20

다음을 듣고, 이어질 말로 알맞은 것을 고르시
오. .... ( )

M _____

① 　　② 　　③ 　　④

W: _____ play badminton!

❶ M: It's _____.

❷ M: I'm eating pizza.

❸ M: I'm _____, but I can't.

❹ M: I have a cat.

badminton 배드민턴 | **sunny** 맑은 | **pizza** 피자

TIPS Let's는 Let us의 줄임말로 '~을 하자'고 제안할 때 사용합니다.
이에 대한 대답은 긍정일 때는 Sure. / Okay. / That sounds great.
등으로, 부정일 때는 No, let's not. / I'm sorry, but I can't. / I'd
like to, but I can't. 등으로 답합니다.

● 앞에 모의고사에 나온 문장들을 잘 듣고, 한 번씩 써보세요.

01 The girl has three cats. 소녀는 고양이 세 마리가 있어.

The girl has three cats.

02 Close the door, please. 문을 닫아 주세요.

03 Open your eyes, please. 눈을 떠 주세요.

04 I feel good. 나는 기분이 좋아.

05 I hurt my knee. 나는 무릎을 다쳤어.

06 I have a headache. 나는 두통이 있어.

07 I have a cold. 나는 감기에 걸렸어.

08 It's 10 o'clock. 10시예요.

09 I'm ten years old. 나는 10살이에요.

10 I'm eating pizza. 나는 피자를 먹고 있어.

● 앞에 모의고사에 나온 대화들을 잘 듣고, 한 번씩 써보세요.

01 **A** May I help you? 도와드릴까요?

　　B Yes, please. 예.

　　▶ **A** May I help you?

　　　 B Yes, please.

02 **A** What color is your pencil case? 네 필통은 무슨 색이니?

　　B It's green. 초록색이야.

　　▶ **A**

　　　 B

03 **A** Is this your teacher? 이분이 네 선생님이니?

　　B No, she is my aunt. 아니, 내 고모야.

　　▶ **A**

　　　 B

04 **A** Are you hungry? 너 배고프니?

　　B No, I'm not. 아니, 그렇지 않아.

　　▶ **A**

　　　 B

05 **A** Let's play badminton! 배드민턴 치자!

　　B I'm sorry, but I can't. 미안한데 할 수 없어.

　　▶ **A**

　　　 B

08 Warm-up

| 학습일 | 월 일 | 부모님 확인 | | 점수 |

Step 1 Theme Words 취미

	reading	독서		writing	글쓰기
	cooking	요리하기		singing	노래하기
	dancing	춤추기		drawing	그리기

Step 2 Expressions

● 동명사는 '~하는 것'이라는 의미로 동사원형에 −ing를 붙여서 명사 역할을 하도록 만든 것을 말합니다. like나 love와 같은 동사들은 이러한 동명사를 목적어로 취해서 '~하는 것을 좋아하다'라고 표현합니다.

like + 동명사

· **like reading** 독서를 좋아하다

  I like reading. 나는 독서를 좋아한다.

· **like writing** 글쓰기를 좋아하다

  He likes writing very much.

  그는 글쓰기를 아주 많이 좋아한다.

Tips

▶ 주어가 3인칭 단수인 He, She, It, 단수명사일 때는 현재형 동사에 −s나 −es를 붙여줘야 합니다.
The boy likes dancing.
그 소년은 춤추는 것을 좋아한다.

● 무엇을 좋아하는지 취미를 물어볼 때는 Do you have any hobbies?라고 물어볼 수 있습니다.
이때 대답에 like 동사를 써서 표현할 때는 뒤에 목적어로 동명사가 올 수 있습니다.

A Do you have any **hobbies**?   너는 취미가 있니?

B Yes, I like **singing**.   응, 나는 노래하기를 좋아해.

Practice

● 앞에서 배운 동명사를 이용해서 다양한 답변을 만들어 보세요.

I like drawing. 나는 그림 그리는 것을 좋아해.

I like listening to music. 나는 음악 듣는 것을 좋아해.

Word Preview

● 문제에 등장하는 단어들을 듣고, 미리 한 번씩 써보세요.

01	piano	피아노		02	pear	배	
03	happy	행복한		04	hobby	취미	
05	welcome	환영받는		06	hand	손	
07	low	낮은		08	classroom	교실	
09	windy	바람 부는		10	cloudy	흐린	
11	science	과학		12	time	시간	
13	singer	가수		14	scientist	과학자	
15	dancer	무용수		16	paint	칠하다	
17	picture	사진		18	ride	타다	
19	meet	만나다		20	pet	반려동물	

영어 듣기 모의고사

보통 속도　빠른 속도

| 학습일 | 월　일 | 부모님 확인 | | 점수 |

1

다음을 듣고, 들려주는 소리와 일치하는 알파벳 카드를 고르시오. ·················· (　　　)

① **B b**　② **P p**

③ **D d**　④ **S s**

2

다음을 듣고, 첫소리가 다른 낱말을 고르시오.
··· (　　　)

①　　　②　　　③　　　④

3

다음 들려주는 낱말과 <u>다르게</u> 소리 나는 낱말을 고르시오. ···························· (　　　)

①　　　②　　　③　　　④

4

다음 들려주는 낱말과 소리가 같은 낱말을 고르시오. ·· (　　　)

①　　　②　　　③　　　④

5

다음을 듣고, 낱말과 일치하는 것을 고르시오.
·· (　　　)

① 　②

③ 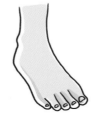　④

6

다음을 듣고, 단어 카드와 일치하는 낱말을 고르시오. ································· (   )

yellow

①   ②   ③   ④

7

다음을 듣고, 취미를 나타내는 낱말이 <u>아닌</u> 것을 고르시오. ························· (   )

①   ②   ③   ④

8

다음을 듣고, 그림과 일치하는 날씨를 고르시오. ····························· (   )

①   ②   ③   ④

9

다음을 듣고, 알맞은 뜻을 고르시오. ································· (   )

① 수학   ② 과학
③ 음악   ④ 역사

10

다음을 듣고, 어떤 상황에서 쓰는 표현인지 고르시오. ···························· (   )

① 친구에게 사과할 때
② 친구를 초대할 때
③ 오랜만에 친구를 만났을 때
④ 친구와 헤어질 때

11

다음을 듣고, 설명과 일치하는 그림을 고르시오. ····························· (   )

①   ②

③   ④

12

다음을 듣고, 그림과 일치하는 설명을 고르시오. ························ (   )

① ② ③ ④

13

다음 그림과 같은 행동을 시키려면 어떻게 말해야 할지 고르시오. ················· (   )

① ② ③ ④

14

다음 그림을 보고, 여자가 할 말로 알맞은 것을 고르시오. ····························· (   )

① ② ③ ④

15

다음을 듣고, 이어질 말로 알맞은 것을 고르시오. ····························· (   )

M _____

① Goodbye.
② Sure.
③ Thanks.
④ This is my mother.

16

다음 대화를 듣고, 남자 아이의 취미로 알맞은 것을 고르시오. ·····················(   )

①   ②

③   ④

17

다음 대화를 듣고, 남자가 키우는 반려동물이 모두 몇 마리인지 고르시오. ········ (   )

① 1마리   ② 2마리
③ 3마리   ④ 4마리

18

다음 대화를 듣고, 몇 시인지 고르시오.
·····················(   )

①   ②

③   ④

19

다음을 듣고, 이어질 말로 알맞은 것을 고르시오. ·····························(   )

W _____

①   ②   ③   ④

20

다음을 듣고, 이어질 말로 알맞은 것을 고르시오. ·····························(   )

M _____

①   ②   ③   ④

| 학습일 | 월 일 | 부모님 확인 | 점수 |

● 잘 듣고, 빈칸에 알맞은 말을 쓰세요.

1

다음을 듣고, 들려주는 소리와 일치하는 알파벳 카드를 고르시오. ·············· (   )

①  B b
② P p
③  D d
④ S s

W: _____

TIPS 알파벳 P p 사운드는 park(공원)의 첫소리입니다.

2

다음을 듣고, 첫소리가 <u>다른</u> 낱말을 고르시오.
·················· (   )

①   ②   ③   ④

❶ M: _____

❷ M: pear

❸ M: pig

❹ M: _____

piano 피아노 | pear 배 | pig 돼지 | bus 버스
TIPS 알파벳 P p 사운드와 B b 사운드를 구분해 보세요.

3

다음 들려주는 낱말과 <u>다르게</u> 소리 나는 낱말을 고르시오. ·············· (   )

①   ②   ③   ④

W: happy

❶ W: happy

❷ W: _____

❸ W: happy

❹ W: happy

happy 행복한 | hobby 취미

4

다음 들려주는 낱말과 소리가 같은 낱말을 고르시오. ·········· ( )

① ② ③ ④

M: _____

❶ M: writing

❷ M: what

❸ M: _____

❹ M: welcome

welcome 환영 | writing 글쓰기 | what 무엇 | who 누구

5

다음을 듣고, 낱말과 일치하는 것을 고르시오.
·············· ( )

① ② ③ ④

W: _____

hand 손

6

다음을 듣고, 단어 카드와 일치하는 낱말을 고르시오. ·············· ( )

yellow

① ② ③ ④

❶ M: _____

❷ M: show

❸ M: cow

❹ M: _____

low 낮은 | show 쇼 | cow 소 | yellow 노란색

TIPS 단어 카드의 yellow(노란색) 외에 색을 나타내는 표현으로는 red(빨간색), black(검은색), white(흰색), green(초록색) 등이 있습니다.

7

다음을 듣고, 취미를 나타내는 낱말이 <u>아닌</u> 것을 고르시오. ·············· ( )

① ② ③ ④

❶ W: _____

❷ W: dancing

❸ W: _____

❹ W: writing

singing 노래하기 | dancing 춤추기 | classroom 교실 | writing 글쓰기

TIPS classroom(교실)은 장소를 나타내는 명사입니다.

8

다음을 듣고, 그림과 일치하는 날씨를 고르시오. …………………………… (   )

① ② ③ ④

① M: _____
② M: rainy
③ M: sunny
④ M: _____

windy 바람 부는 | rainy 비 오는 | sunny 맑은 | cloudy 흐린

TIPS 날씨를 나타내는 표현은 이외에도 snowy(눈이 오는), foggy(안개 낀), stormy(폭풍의) 등이 있습니다.

9

다음을 듣고, 알맞은 뜻을 고르시오.
……………………………………… (   )

① 수학　　　　② 과학
③ 음악　　　　④ 역사

W: _____

science 과학

TIPS 과목을 나타내는 명사에는 보기처럼 math(수학), music(음악), history(역사) 등이 있습니다.

10

다음을 듣고, 어떤 상황에서 쓰는 표현인지 고르시오. ……………………… (   )

① 친구에게 사과할 때
② 친구를 초대할 때
③ 오랜만에 친구를 만났을 때
④ 친구와 헤어질 때

M: Long _____ no see!

long 긴 | time 시간 | see 보다

TIPS Long time no see! 는 '오랜만이다.'라는 의미로 오랜만에 친구를 만났을 때 사용합니다.

11

다음을 듣고, 설명과 일치하는 그림을 고르시오. …………………………… (   )

① ② ③ ④

G: Susan likes _____.

like 좋아하다 | dancing 춤추기

TIPS 빈칸은 문장에서 목적어 자리로, 목적어 자리에는 동명사가 올 수 있습니다. 동명사는 동사에 –ing를 붙여서 명사 역할을 하도록 만든 것입니다.

12

다음을 듣고, 그림과 일치하는 설명을 고르시오. ·········· (   )

① W: The man is a _____.

② W: The man is a teacher.

③ W: The man is a scientist.

④ W: The man is a _____.

cook 요리사 | teacher 선생님 | scientist 과학자 | dancer 무용수

TIPS 그림에 해당하는 직업을 나타내는 표현을 찾아보세요.

13

다음 그림과 같은 행동을 시키려면 어떻게 말해야 할지 고르시오. ·········· (   )

① M: Would you close the door?

② M: Would you _____ the door, please?

③ M: Could you take a picture of me?

④ M: Can you _____ a bicycle?

door 문 | paint 칠하다 | take a picture 사진을 찍다 | ride a bicycle 자전거를 타다

TIPS 상대방에게 부탁을 할 때에는 Will, Would, Could 등을 이용해서 표현합니다.

14

다음 그림을 보고, 여자가 할 말로 알맞은 것을 고르시오. ·········· (   )

① W: I'm _____.

② W: I have a headache.

③ W: Nice to _____ you.

④ W: This is my father.

happy 행복한 | meet 만나다

TIPS 처음 만났을 때 하는 표현은 Nice to meet you.(만나서 반가워요.) 이외에도 Good to meet you.등을 쓸 수 있습니다.

15

다음을 듣고, 이어질 말로 알맞은 것을 고르시오. ·········· (   )

M _____

① Goodbye.
② Sure.
③ Thanks.
④ This is my mother.

W: Can you _____ me, Mike?

M: _____

help 돕다

TIPS 도움을 요청하는 것에 대한 긍정의 대답에는 Sure. / Okay. 등이 있고, 부정의 대답에는 Sorry, I can't. 등이 올 수 있습니다.

16

다음 대화를 듣고, 남자 아이의 취미로 알맞은 것을 고르시오. ·········· (   )

①  ②

③  ④

G: Do you have any hobbies?

B: Yes. I like _____ computer games.

hobby 취미 | computer game 컴퓨터 게임

TIPS 취미를 묻는 의문문에는 동사 like를 이용해서 답변할 수 있습니다. 이때 like의 목적어는 명사나 동명사가 옵니다.

17

다음 대화를 듣고, 남자가 키우는 반려동물이 모두 몇 마리인지 고르시오. ·········· (   )

① 1마리   ② 2마리
③ 3마리   ④ 4마리

W: Do you have any _____?

M: Yes, I have two dogs and two cats.

have 가지다 | pet 반려동물

18

다음 대화를 듣고, 몇 시인지 고르시오. ·························· ( )

① ② ③ ④

W: What _____ is it?

M: It's 3 o'clock.

time 시간 | o'clock 시

TIPS What time is it?은 시간을 물어볼 때 쓰는 표현으로 대답에는 o'clock이나 past, to 등을 이용해서 답변할 수 있습니다.
It's five past ten. 10시 5분이야.
It's five to ten. 10시 5분 전이야.

19

다음을 듣고, 이어질 말로 알맞은 것을 고르시오. ·························· ( )

W _____

① ② ③ ④

M: What are you doing?

❶ W: I'm _____ a book.

❷ W: Yes, I can.

❸ W: I like _____.

❹ W: It's my dog.

what 무엇 | read 읽다 | dancing 춤추기 | dog 개

TIPS what 의문문에 대한 대답은 Yes/No로 답할 수 없습니다.

20

다음을 듣고, 이어질 말로 알맞은 것을 고르시오. ·························· ( )

M _____

① ② ③ ④

W: Do you have a computer?

❶ M: Yes, I have a sister.

❷ M: _____, but it's old.

❸ M: Yes, I'm a singer.

❹ M: He is my _____.

computer 컴퓨터 | sister 여자형제, 누나 | singer 가수

TIPS Do 의문문에는 Yes/No로 답해야 합니다.

● 앞에 모의고사에 나온 문장들을 잘 듣고, 한 번씩 써보세요.

01 Long time no see! 오랜만이야!

Long time no see!

02 I like dancing. 나는 춤추는 것을 좋아해.

03 The man is a cook. 남자는 요리사다.

04 The man is a scientist. 남자는 과학자다.

05 Would you close the door? 문 좀 닫아주시겠어요?

06 Could you take a picture of me? 사진 좀 찍어 주시겠어요?

07 Can you ride a bicycle? 자전거 탈 수 있니?

08 I'm happy. 나는 행복해.

09 Nice to meet you. 만나서 반가워요.

10 Can you help me? 나 좀 도와줄래?

● 앞에 모의고사에 나온 대화들을 잘 듣고, 한 번씩 써보세요.

01 **A** Do you have any hobbies? 너는 취미가 있니?

B Yes. I like playing computer games. 응. 나는 컴퓨터 게임하는 것을 좋아해.

▶ **A** Do you have any hobbies?

B Yes. I like playing computer games.

02 **A** Do you have any pets? 너는 반려동물이 있니?

B Yes, I have two dogs and two cats. 응, 나는 개 두 마리와 고양이 두 마리가 있어.

▶ **A**

B

03 **A** What time is it? 몇 시예요?

B It's 3 o'clock. 3시예요.

▶ **A**

B

04 **A** What are you doing? 너는 뭐하고 있니?

B I'm reading a book. 나는 책 읽고 있어.

▶ **A**

B

05 **A** Do you have a computer? 너는 컴퓨터가 있니?

B Yes, but it's old. 응, 그런데 낡았어.

▶ **A**

B

09 Warm-up

Step 1 Theme Words 악기

	piano	피아노
	violin	바이올린
	drum	북

	guitar	기타
	flute	플루트
	harp	하프

Step 2 Expressions

● 악기를 연주한다고 할 때에는 동사 play를 써서 표현할 수 있습니다. 이때 play 다음에 나오는 악기 이름 앞에는 꼭 정관사 the를 사용해야 합니다.

play the + 악기

· **play the piano** 피아노를 연주하다

  I can play the piano. 나는 피아노를 연주할 수 있다.

· **pay the violin** 바이올린을 연주하다

  He can play the violin. 그는 바이올린을 연주할 수 있다.

Tips

▶ 정관사 the는 특정한 것을 말할 때 명사 앞에 붙이고, '그 ~'라고 해석합니다.
I have a computer.
The computer is new.
나는 컴퓨터가 있다.
그 컴퓨터는 새 것이다.

● 무엇을 할 수 있는지 물어볼 때는 조동사 can을 이용해서 의문문을 만들 수 있습니다. 이때 조동사 can을 이용한 의문문은 [Can + 주어 + 동사원형 ~?] 형태가 되어야 합니다.

A **Can** you play the piano?　　너는 피아노를 연주할 수 있니?

B No, but I can **play the violin**.　아니, 하지만 바이올린을 연주할 수 있어.

Practice

● 앞에서 배운 악기 표현을 이용해서 다양한 답변을 만들어 보세요.

Yes, I can play the piano. 응, 난 피아노를 연주할 수 있어.

No, but I can play the guitar. 아니, 하지만 기타를 연주할 수 있어.

Word Preview

● 문제에 등장하는 단어들을 듣고, 미리 한 번씩 써보세요.

01	fat	뚱뚱한		02	fish	생선	
03	vase	꽃병		04	five	5, 다섯	
05	glad	기쁜		06	green	초록색	
07	idea	생각		08	ice	얼음	
09	insect	곤충		10	media	미디어	
11	pink	분홍색		12	elephant	코끼리	
13	elevator	엘리베이터		14	baseball	야구	
15	save	절약하다		16	money	돈	
17	waste	낭비하다		18	shoes	신발	
19	backpack	배낭		20	zoo	동물원	

보통 속도 빠른 속도

| 학습일 | 월 일 | 부모님 확인 | 점수 |

1

다음을 듣고, 들려주는 소리와 일치하는 알파벳 카드를 고르시오. ················· (   )

① **S s** ② **M m**

③ **X x** ④ **N n**

2

다음을 듣고, 첫소리가 <u>다른</u> 낱말을 고르시오. ································ (   )

①   ②   ③   ④

3

다음 들려주는 낱말과 <u>다르게</u> 소리 나는 낱말을 고르시오. ···························· (   )

①   ②   ③   ④

4

다음 들려주는 낱말과 소리가 같은 낱말을 고르시오. ····························· (   )

①   ②   ③   ④

5

다음을 듣고, 낱말과 일치하는 색을 고르시오. ································ (   )

①  ②

③   ④

6

다음을 듣고, 단어 카드와 일치하는 낱말을 고르시오. ……………………………… (   )

elephant

①   ②   ③   ④

7

다음을 듣고, 악기를 나타내는 낱말이 <u>아닌</u> 것을 고르시오. …………………… (   )

①   ②   ③   ④

8

다음을 듣고, 그림과 일치하는 낱말을 고르시오. …………………………… (   )

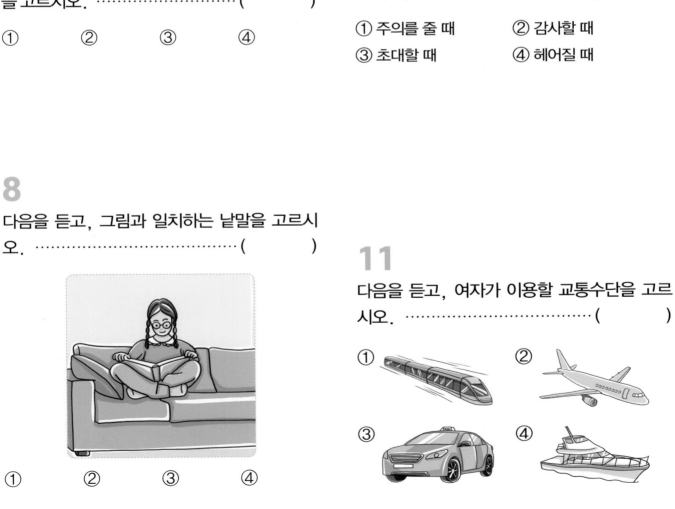

①   ②   ③   ④

9

다음을 듣고, 알맞은 뜻을 고르시오.
……………………………………… (   )

① 청바지   ② 치마
③ 블라우스   ④ 반바지

10

다음을 듣고, 어떤 상황에서 쓰는 표현인지 고르시오. ……………………… (   )

① 주의를 줄 때   ② 감사할 때
③ 초대할 때   ④ 헤어질 때

11

다음을 듣고, 여자가 이용할 교통수단을 고르시오. ……………………… (   )

①   ②
③   ④

12

다음을 듣고, 그림과 일치하는 설명을 고르시
오. ································· (   )

①   ②   ③   ④

13

다음 그림과 같은 행동을 시키려면 어떻게 말해
야 할지 고르시오. ···················· (   )

①   ②   ③   ④

14

다음 그림을 보고, 치과 의사가 할 수 있는 말
을 고르시오. ························· (   )

①   ②   ③   ④

15

다음을 듣고, 이어질 말로 알맞은 것을 고르시
오. ································· (   )

M _____

① It's rainy.
② It's green.
③ It's a pencil.
④ He is my brother.

16

다음 대화를 듣고, 남자 아이가 찾는 것을 고르시오. ······························· (   )

①
②
③
④

17

다음 대화를 듣고, 대화가 이루어지는 장소를 고르시오. ····················· (   )

①
②
③
④

18

다음 대화를 듣고, 남자 아이 누나의 나이를 고르시오. ····················· (   )

① 15살
② 16살
③ 17살
④ 18살

19

다음을 듣고, 이어질 말로 알맞은 것을 고르시오. ····························· (   )

W _____

①   ②   ③   ④

20

다음을 듣고, 이어질 말로 알맞은 것을 고르시오. ····························· (   )

M _____

①   ②   ③   ④

학습일   월   일   부모님 확인   점수

● 잘 듣고, 빈칸에 알맞은 말을 쓰세요.

1

다음을 듣고, 들려주는 소리와 일치하는 알파벳 카드를 고르시오. ·············· (   )

① S s ② M m
③ X x ④ N n

W: _____

TIPS 알파벳 N n 사운드는 notebook(공책)의 첫소리입니다.

2

다음을 듣고, 첫소리가 <u>다른</u> 낱말을 고르시오.
································· (   )
①   ②   ③   ④

❶ M: fat

❷ M: _____

❸ M: five

❹ M: _____

fat 뚱뚱한 | fish 생선 | five 5, 다섯 | vase 꽃병
TIPS 알파벳 F f 사운드와 V v 사운드를 구분해 보세요.

3

다음 들려주는 낱말과 <u>다르게</u> 소리 나는 낱말을 고르시오. ·············· (   )
①   ②   ③   ④

W: _____

❶ W: glad

❷ W: glad

❸ W: _____

❹ W: glad

glad 기쁜 | green 초록색

4

다음 들려주는 낱말과 소리가 같은 낱말을 고르시오. ······················· (   )

①   ②   ③   ④

M: _____

❶ M: ice

❷ M: media

❸ M: _____

❹ M: insect

idea 생각 | ice 얼음 | media 미디어 | insect 곤충

5

다음을 듣고, 낱말과 일치하는 색을 고르시오. ······················· (   )

①   ②

③   ④

W: _____

pink 분홍색

TIPS pink는 명사와 형용사로 모두 사용이 가능합니다. 이외에도 색을 나타내는 단어에는 white(흰색), black(검은색), green(초록색), brown(갈색) 등이 있습니다.

6

다음을 듣고, 단어 카드와 일치하는 낱말을 고르시오. ······················· (   )

elephant

①   ②   ③   ④

❶ M: egg

❷ M: _____

❸ M: elevator

❹ M: _____

egg 달걀 | elephant 코끼리 | elevator 엘리베이터 | lion 사자

TIPS 단어 카드는 elephant(코끼리)처럼 동물을 나타내는 명사에는 lion (사자), tiger(호랑이), rabbit(토끼), turtle(거북) 등이 있습니다.

7

다음을 듣고, 악기를 나타내는 낱말이 <u>아닌</u> 것을 고르시오. ······················· (   )

①   ②   ③   ④

❶ W: _____

❷ W: guitar

❸ W: _____

❹ W: baseball

violin 바이올린 | guitar 기타 | piano 피아노 | baseball 야구

TIPS baseball(야구)는 운동을 나타내는 명사로, 이외에도 soccer(축구), basketball(농구), badminton(배드민턴) 등이 있습니다.

8

다음을 듣고, 그림과 일치하는 낱말을 고르시오. .... (   )

① ② ③ ④

❶ M: dancing

❷ M: _____

❸ M: swimming

❹ M: _____

dancing 춤추기 | singing 노래하기 | swimming 수영하기 | reading 책읽기

TIPS 동사에 –ing가 붙은 동명사는 동사의 의미를 가지고 있는 명사입니다.

9

다음을 듣고, 알맞은 뜻을 고르시오.
.... (   )

① 청바지   ② 치마
③ 블라우스   ④ 반바지

W: _____

skirt 치마

TIPS 청바지(jeans)처럼 두 갈래로 나누어지는 경우 복수형으로 사용합니다. shorts(반바지)나 scissors(가위)가 있습니다.

10

다음을 듣고, 어떤 상황에서 쓰는 표현인지 고르시오. .... (   )

① 주의를 줄 때   ② 감사할 때
③ 초대할 때   ④ 헤어질 때

M: _____ out!

watch 주의하다

TIPS Watch out!(조심해!)은 상대방에게 경고하거나 주의를 줄 때 주로 사용하는 표현으로, Be careful!이나 Watch yourself! 등으로 바꿔쓸 수 있습니다.

11

다음을 듣고, 여자가 이용할 교통수단을 고르시오. .... (   )

① ② ③ ④

W: I'm going to Seoul by _____.

train 기차

TIPS 교통수단은 [by + 교통수단] 형태로 사용합니다.
by bus 버스로   by plane 비행기로

12

다음을 듣고, 그림과 일치하는 설명을 고르시오. ·············· ( )

① ② ③ ④

❶ M: The boy can play the _____.

❷ M: The boy can play the piano.

❸ M: The boy can play the violin.

❹ M: The boy can _____ the cello.

can ~할 수 있다 | play the guitar 기타를 연주하다 | piano 피아노 | violin 바이올린 | cello 첼로

TIPS [play the + 악기 이름] 형태로 '악기를 연주하다'라고 표현할 수 있습니다.

13

다음 그림과 같은 행동을 시키려면 어떻게 말해야 할지 고르시오. ·············· ( )

① ② ③ ④

❶ W: _____ your money.

❷ W: Have a nice day!

❸ W: Don't _____ water.

❹ W: Take off your shoes.

save 절약하다 | money 돈 | waste 낭비하다 | take off 벗다 | shoes 신발

TIPS '~해라'라고 상대방에게 지시하거나 명령하는 문장을 명령문이라고 합니다. 명령문은 동사원형으로 시작합니다.

14

다음 그림을 보고, 치과 의사가 할 수 있는 말을 고르시오. ·············· ( )

① ② ③ ④

❶ M: Don't touch your _____.

❷ M: Please sit down.

❸ M: Can you wash the dishes?

❹ M: Could you open your _____?

touch 만지다 | nose 코 | sit 앉다 | wash the dishes 설거지하다 | mouth 입

TIPS 그림과 같은 상황에서 치과의사가 아이에게 할 수 있는 말을 골라보세요.

15

다음을 듣고, 이어질 말로 알맞은 것을 고르시오. ·········· (   )

M _____

① It's rainy.
② It's green.
③ It's a pencil.
④ He is my brother.

W: What _____ is it?

M: _____

color 색 | green 초록색의 | pencil 연필 | brother 형

TIPS What color is it?(그것은 무슨 색이니?)은 색을 물을 때 쓰는 표현으로 red(빨간), yellow(노란) 등의 색으로 답합니다.

16

다음 대화를 듣고, 남자 아이가 찾는 것을 고르시오. ·········· (   )

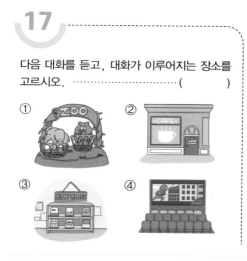

① ② ③ ④

G: What are you looking for?

B: I'm looking for my _____.

look for ~을 찾다 | backpack 배낭

TIPS [look for + 명사] 형태로 사용하며, 여기서 명사는 전치사 for의 목적어 역할을 합니다.

17

다음 대화를 듣고, 대화가 이루어지는 장소를 고르시오. ·········· (   )

① ZOO ② CAFE ③ BESTSELLERS ④

W: This is my first time at the _____.

M: Me, too. Look at that elephant. It's very big.

first 처음의 | time 시간, 때 | zoo 동물원 | look at ~을 보다 | elephant 코끼리

TIPS 단어 zoo와 elephant를 통해서 아이들이 동물원에 있음을 알 수 있습니다.

18

다음 대화를 듣고, 남자 아이 누나의 나이를 고르시오. ·················· (　　)

① 15살　　② 16살
③ 17살　　④ 18살

G: How old is your older sister?

B: She is _____ years old.

older sister 누나 | year 연, 해

TIPS How old ~?는 사람의 경우 나이를 물어보는 표현으로 숫자를 이용해 대답합니다.

19

다음을 듣고, 이어질 말로 알맞은 것을 고르시오. ·················· (　　)

W _____

①　　②　　③　　④

M: _____ you speak English?

❶ W: No, I don't.

❷ W: _____, a little.

❸ W: Yes, I can _____ the guitar.

❹ W: I like studying English.

speak 말하다 | English 영어 | a little (셀 수 없는 것) 조금 | play the guitar 기타를 연주하다 | study 공부하다

TIPS Can 조동사 의문문은 Yes/No로 답해야 합니다.

20

다음을 듣고, 이어질 말로 알맞은 것을 고르시오. ·················· (　　)

M _____

①　　②　　③　　④

W: How _____ apples are in the box?

❶ M: Yes, I have.

❷ M: She is _____ years old.

❸ M: I have ten _____.

❹ M: There are no apples in the box.

how many 얼마나 많은 | egg 달걀 | no 하나도 ~없는

TIPS How many ~? 의문문은 얼마나 많은지를 묻는 것으로 Yes/No로 답할 수 없으며, 보통 숫자를 넣어서 답합니다.

9 회 Sentence Check

● 앞에 모의고사에 나온 문장들을 잘 듣고, 한 번씩 써보세요.

01 The boy can play the guitar. 소년은 기타를 칠 수 있어.

The boy can play the guitar.

02 Don't waste water. 물을 낭비하지 마라.

03 Take off your shoes. 신발을 벗어라.

04 Save your money. 돈을 모아라.

05 Don't touch your nose. 코를 만지지 마라.

06 I like studying English. 나는 영어 공부하는 것을 좋아해.

07 Can you wash the dishes? 설거지를 할 수 있니?

08 Could you open your mouth? 입을 벌려 주시겠어요?

09 Look at that elephant. 저 코끼리를 봐.

10 This is my first time at the zoo. 동물원은 처음이야.

● 앞에 모의고사에 나온 대화들을 잘 듣고, 한 번씩 써보세요.

01 **A** What are you looking for? 무엇을 찾고 있니?

　　B I'm looking for my backpack. 내 배낭을 찾고 있어.

　　▶ **A** What are you looking for?

　　　B I'm looking for my backpack.

02 **A** What color is it? 그것은 무슨 색이니?

　　B It's green. 초록색이야.

　　▶ **A**

　　　B

03 **A** How old is your older sister? 네 누나는 몇 살이야?

　　B She is 17 years old. 17살이야.

　　▶ **A**

　　　B

04 **A** Can you speak English? 너는 영어를 할 수 있니?

　　B Yes, a little. 응, 조금 할 수 있어.

　　▶ **A**

　　　B

05 **A** How many apples are in the box? 상자에 사과가 얼마나 많이 있니?

　　B There are no apples in the box. 상자에 사과는 없어.

　　▶ **A**

　　　B

10 Warm-up

학습일	월 일	부모님 확인		점수

Step 1 Theme Words 운동

	baseball	야구		basketball	농구
	soccer	축구		volleyball	배구
	badminton	배드민턴		hockey	하키

Step 2 Expressions

● 운동을 한다고 할 때에도 악기를 연주한다고 할 때처럼 동사 play를 써서 표현할 수 있습니다. 이때 play 다음에 나오는 운동 이름 앞에는 관사를 쓰지 않습니다.

play + 운동

· **play baseball** 야구를 하다

   I like playing baseball. 나는 야구하는 것을 좋아한다.

· **play basketball** 농구를 하다

   He plays basketball after school.

   그는 방과 후에 농구를 한다.

Tips

▶ 운동 이름 앞 이외에도 식사 이름 앞이나 언어 이름 앞에 관사(a, the)를 쓰지 않습니다.
I have dinner at 7.
나는 7시에 저녁을 먹는다.
They learn English.
그들은 영어를 배운다.

● 무엇을 좋아하는지 물어볼 때 조동사 Do/Does와 동사 like를 써서 [Do/Does + 주어 + like ~?] 형태로 의문문을 만들 수 있습니다. 여기서 Does는 주어가 3인칭 단수일 때 사용합니다.

A **Do** you **like** playing baseball? 너는 야구하는 것을 좋아하니?

B **Yes**, I do. 응, 그래.

Practice

● 앞에서 배운 운동 표현을 이용해서 다양한 질문을 만들어 보세요.

Does he like playing tennis? 그는 테니스 치는 것을 좋아하니?

Does she play volleyball after school? 그녀는 방과 후에 배구를 하니?

Word Preview

● 문제에 등장하는 단어들을 듣고, 미리 한 번씩 써보세요.

01	clock	시계		02	club	동아리	
03	cook	요리, 요리사		04	sleepy	졸린	
05	moon	달		06	neck	목	
07	puppy	강아지		08	river	강	
09	live	살다		10	room	방	
11	tomato	토마토		12	potato	감자	
13	use	사용하다		14	computer	컴퓨터	
15	food	음식		16	homework	숙제	
17	where	어디		18	need	필요하다	
19	library	도서관		20	park	공원	

영어 듣기 모의고사

보통 속도　빠른 속도

학습일	월　일	부모님 확인		점수

1

다음을 듣고, 들려주는 소리와 일치하는 알파벳 카드를 고르시오. ················ (　　　)

① **B b**
② **P p**
③ **C c**
④ **T t**

2

다음을 듣고, 첫소리가 <u>다른</u> 낱말을 고르시오.
································· (　　　)

①　　②　　③　　④

3

다음 들려주는 낱말과 <u>다르게</u> 소리 나는 낱말을 고르시오. ····························· (　　　)

①　　②　　③　　④

4

다음 들려주는 낱말과 소리가 같은 낱말을 고르시오. ······························ (　　　)

①　　②　　③　　④

5

다음 들려주는 신체 부위와 일치하는 것을 고르시오. ······························· (　　　)

①
②
③
④

6

다음을 듣고, 단어 카드와 일치하는 낱말을 고르시오. ································· (   )

river

①   ②   ③   ④

7

다음을 듣고, 운동을 나타내는 낱말이 <u>아닌</u> 것을 고르시오. ························· (   )

①   ②   ③   ④

8

다음을 듣고, 그림과 일치하는 낱말을 고르시오. ································· (   )

①   ②   ③   ④

9

다음을 듣고, 알맞은 뜻을 고르시오.
································· (   )

① 침대   ② 의자
③ 전등   ④ 탁자

10

다음을 듣고, 어떤 상황에서 쓰는 표현인지 고르시오. ························· (   )

① 사과할 때   ② 허락을 받을 때
③ 칭찬을 할 때   ④ 헤어질 때

11

다음을 듣고, 남자 아이가 좋아하는 음식을 고르시오. ························· (   )

①   ②   ③   ④

12

다음을 듣고, 그림과 일치하는 설명을 고르시오. ···································· (   )

①   ②   ③   ④

13

다음을 듣고, 올바르게 한 행동을 고르시오.
···································· (   )

① 세수를 한다.
② 손을 씻는다.
③ 숙제를 한다.
④ 샤워를 한다.

14

다음 그림을 보고, 여자 아이가 할 말로 알맞은 것을 고르시오. ························ (   )

①   ②   ③   ④

15

다음을 듣고, 질문에 대한 대답으로 알맞은 것을 고르시오. ························ (   )

M _____

① Thank you.
② Yes, it's my book.
③ Yes, I do.
④ I'm sorry.

16

다음 대화를 듣고, 여자 아이가 필요한 물건을 고르시오. ·················· (   )

① ②

③ ④

18

다음 대화를 듣고, 남자가 사려는 물건을 고르시오. ·················· (   )

① 치마   ② 바지
③ 연필   ④ 공책

19

다음을 듣고, 이어질 말로 알맞은 것을 고르시오. ························· (   )

W _____

①   ②   ③   ④

17

다음 대화를 듣고, 아이들이 만날 장소를 고르시오. ···················· (   )

① 도서관   ② 공원
③ 학교   ④ 백화점

20

다음을 듣고, 이어질 말로 알맞은 것을 고르시오. ························· (   )

M _____

①   ②   ③   ④

● 잘 듣고, 빈칸에 알맞은 말을 쓰세요.

1

다음을 듣고, 들려주는 소리와 일치하는 알파벳 카드를 고르시오. ·············· (　　)

① **B b** ② **P p**
③ **C c** ④ **T t**

W: _____

TIPS 알파벳 T t 사운드는 teacher(선생님)의 첫소리입니다.

2

다음을 듣고, 첫소리가 <u>다른</u> 낱말을 고르시오.
·············· (　　)

①   ②   ③   ④

❶ M: _____
❷ M: monkey
❸ M: moon
❹ M: _____

milk 우유 | monkey 원숭이 | moon 달 | neck 목
TIPS 알파벳 M m 사운드와 N n 사운드를 구분해 보세요.

3

다음 들려주는 낱말과 <u>다르게</u> 소리 나는 낱말을 고르시오. ·············· (　　)

①   ②   ③   ④

W: _____
❶ W: sleepy
❷ W: sleepy
❸ W: _____
❹ W: sleepy

sleepy 졸린 | puppy 강아지

4

다음 들려주는 낱말과 소리가 같은 낱말을 고르시오. ·················· (   )

①   ②   ③   ④

M: clock

❶ M: _____

❷ M: cook

❸ M: _____

❹ M: black

clock 시계 | club 동아리 | cook 요리, 요리사 | black 검은색

5

다음 들려주는 신체 부위와 일치하는 것을 고르시오. ·················· (   )

① ②

③ ④

W: _____

mouth 입

TIPS 예문의 그림에 해당하는 신체 부위는 eye(눈), nose(코), ear(귀)이며, 이외에도 신체 부위에는 neck(목), shoulder(어깨), leg(다리) 등이 있습니다.

6

다음을 듣고, 단어 카드와 일치하는 낱말을 고르시오. ·················· (   )

river

①   ②   ③   ④

❶ M: _____

❷ M: live

❸ M: swim

❹ M: _____

river 강 | live 살다 | swim 수영하다 | room 방

7

다음을 듣고, 운동을 나타내는 낱말이 <u>아닌</u> 것을 고르시오. ·················· (   )

①   ②   ③   ④

❶ W: _____

❷ W: basketball

❸ W: _____

❹ W: badminton

baseball 야구 | basketball 농구 | violin 바이올린 | badminton 배드민턴

TIPS 운동은 [play + 운동 이름] 형태로, 악기는 [play the + 악기 이름] 형태로 사용합니다. 정관사 the의 사용 여부에 주의하세요.

8

다음을 듣고, 그림과 일치하는 낱말을 고르시오. …………………………… (   )

① ② ③ ④

❶ M: _____

❷ M: melon

❸ M: _____

❹ M: pear

tomato 토마토 | melon 멜론 | potato 감자 | pear 배

TIPS 명사 tomato나 potato처럼 −o로 끝나는 단어의 복수형은 −es를 붙여서 각각 tomatoes와 potatoes로 씁니다.

9

다음을 듣고, 알맞은 뜻을 고르시오.
………………………………(   )

① 침대　　　② 의자
③ 전등　　　④ 탁자

W: _____

bed 침대

TIPS 예문에 해당하는 영어는 각각 의자는 chair, 전등은 lamp, 탁자는 table입니다.

10

다음을 듣고, 어떤 상황에서 쓰는 표현인지 고르시오. …………………… (   )

① 사과할 때　　② 허락을 받을 때
③ 칭찬을 할 때　④ 헤어질 때

M: _____ I use your computer?

use 사용하다 | computer 컴퓨터

TIPS 조동사 can은 의문문에서 허락을 요구할 때 사용할 수 있습니다.

11

다음을 듣고, 남자 아이가 좋아하는 음식을 고르시오. …………………… (   )

① ② ③ ④

B: Spaghetti is my _____ food.

spaghetti 스파게티 | favorite 좋아하는 | food 음식

12

다음을 듣고, 그림과 일치하는 설명을 고르시오. .... (　　)

① 　　② 　　③ 　　④

❶ G: I'm _____ TV.

❷ G: I'm eating pizza.

❸ G: I'm _____ soccer.

❹ G: I'm reading a book.

watch 보다 | pizza 피자 | soccer 축구 | read 읽다

TIPS [be동사 + -ing] 형태는 지금 하고 있는 진행시제를 나타냅니다. 동사에 -ing를 붙인 동명사와 비교해 보세요.

13

다음을 듣고, 올바르게 한 행동을 고르시오. .... (　　)

① 세수를 한다.
② 손을 씻는다.
③ 숙제를 한다.
④ 샤워를 한다.

M: Do your _____ right now.

do 하다 | homework 숙제 | right now 지금 당장

TIPS 상대방에게 행동을 시키는 문장을 명령문이라고 합니다. 명령문에 please를 붙이면 부드러운 표현이 됩니다.

14

다음 그림을 보고, 여자 아이가 할 말로 알맞은 것을 고르시오. .... (　　)

① 　　② 　　③ 　　④

❶ G: _____ are you going?

❷ G: How's the weather?

❸ G: Can you swim?

❹ G: _____ do you want for dinner?

where 어디 | weather 날씨 | swim 수영하다

TIPS 그림과 같은 상황에서 여자 아이가 할 수 있는 질문을 골라보세요.

15

다음을 듣고, 질문에 대한 대답으로 알맞은 것을 고르시오. ·········· (　　)

M _____

① Thank you.
② Yes, it's my book.
③ Yes, I do.
④ I'm sorry.

W: Is this your _____?

M: _____

book 책

TIPS be동사 의문문에 대해서는 Yes/No와 be동사를 이용하여 대답해야 합니다.

16

다음 대화를 듣고, 여자 아이가 필요한 물건을 고르시오. ·········· (　　)

①
②
③
④

B: What do you need?

G: I need an _____.

need 필요하다 | eraser 지우개

TIPS 의문사가 있는 의문문에는 Yes/No로 대답할 수 없습니다.

17

다음 대화를 듣고, 아이들이 만날 장소를 고르시오. ·········· (　　)

① 도서관　　② 공원
③ 학교　　④ 백화점

G: Let's meet at the _____.

B: Okay. See you later.

meet 만나다 | library 도서관 | later 이후에

TIPS Let's로 시작하는 제안문에는 긍정일 때는 Sure. / Okay. / That sounds great. 등으로, 부정일 때는 No, let's not. / I'm sorry, but I can't. / I'd like to, but I can't. 등으로 답할 수 있습니다.

18

다음 대화를 듣고, 남자가 사려는 물건을 고르시오. .... (   )

① 치마　　　② 바지
③ 연필　　　④ 공책

W: How can I help you?

M: I want to buy _____.

help 돕다 | want 원하다 | buy 사다 | pants 바지

TIPS 바지처럼 두 갈래로 나누어지는 경우 복수형으로 사용합니다. 이외에도 shorts(반바지)나 jeans(청바지), scissors(가위)가 있습니다.

19

다음을 듣고, 이어질 말로 알맞은 것을 고르시오. .... (   )

W _____

①　　　②　　　③　　　④

M: Where are you going?

❶ W: I'm going to the _____.

❷ W: Yes, I am.

❸ W: I like playing _____.

❹ W: It's raining.

park 공원 | tennis 테니스 | rain 비가 오다

TIPS 의문사가 있는 의문문은 Yes/No로 답할 수 없으며, '운동을 한다'는 표현은 [play + 운동 이름] 형태로 사용합니다.

20

다음을 듣고, 이어질 말로 알맞은 것을 고르시오. .... (   )

M _____

①　　　②　　　③　　　④

W: Do you like playing _____?

❶ M: No, I can't.

❷ M: Yes, I _____.

❸ M: I can play baseball.

❹ M: Yes, it's my _____.

baseball 야구 | play baseball 야구를 하다 | ball 공

TIPS Do 의문문은 Yes/No와 do를 이용하여 답해야 합니다.

앞에 모의고사에 나온 문장들을 잘 듣고, 한 번씩 써보세요.

01 I'm watching TV. 나는 TV를 보고 있어.

I'm watching TV.

02 I'm eating pizza. 나는 피자를 먹고 있어.

03 What do you want for dinner? 저녁으로 뭘 먹을까?

04 Do your homework right now. 지금 당장 숙제를 해라.

05 Spaghetti is my favorite food. 스파게티는 내가 좋아하는 음식이야.

06 Where are you going? 어디 가니?

07 Can you swim? 수영할 수 있니?

08 I'm playing soccer. 나는 축구를 하고 있어.

09 How's the weather? 날씨가 어때?

10 Can I use your computer? 네 컴퓨터를 사용해도 되니?

● 앞에 모의고사에 나온 대화들을 잘 듣고, 한 번씩 써보세요.

01 **A** What do you need? 너는 뭐가 필요하니?

  B I need an eraser. 나는 지우개가 필요해.

  ▶ **A** What do you need?

  B I need an eraser.

02 **A** Let's meet at the library. 도서관에서 만나자.

  B Okay. See you later. 좋아. 이따 봐.

  ▶ **A**

  B

03 **A** How can I help you? 어떻게 도와드릴까요?

  B I want to buy pants. 나는 바지를 사고 싶어요.

  ▶ **A**

  B

04 **A** Do you like playing baseball? 너는 야구하는 거 좋아하니?

  B Yes, I do. 응, 그래.

  ▶ **A**

  B

05 **A** Where are you going? 너는 어디에 가고 있니?

  B I'm going to the park. 나는 공원에 가고 있어.

  ▶ **A**

  B

| 학습일 | 월 일 | 부모님 확인 | | 점수 |

Step 1 Theme Words 교통수단

	car	자동차		train	기차
	bus	버스		subway	지하철
	ship	배		plane	비행기

Step 2 Expressions

● 수단이나 방법을 나타내는 전치사 by를 사용해서 어떻게 교통수단을 이용하는지 표현할 수 있습니다.

by + 교통수단

· **by bus** 버스로

I go to school by bus. 나는 버스로 학교에 간다.

· **by subway** 지하철로

I go to work by subway. 나는 지하철로 출근한다.

Tips

▶ '걸어서 가다'라고 할 때에는 on foot나 walk를 이용합니다.
I go to school on foot every day.
나는 매일 학교에 걸어서 간다.
I sometimes walk to school.
나는 가끔 학교에 걸어서 간다.

Step 3　Dialogues

- 수단이나 방법을 물을 때는 '어떻게'라는 의문사 How를 써서 의문문을 만듭니다.
  따라서 교통수단을 물을 때도 의문사 How를 사용합니다.

  A **How** do you go to school?　　너는 어떻게 학교에 가니?

  B I go to school **by bus**.　　나는 버스로 학교에 가.

Practice

- 앞에서 배운 교통수단을 이용해서 다양한 답변을 만들어 보세요.

  I go to school **by subway**. 나는 지하철로 학교에 가.

  I go to school **by car**. 나는 자동차로 학교에 가.

Word Preview

- 문제에 등장하는 단어들을 듣고, 미리 한 번씩 써보세요.

01	nest	둥지	
03	mat	매트	
05	soccer	축구	
07	open	열다	
09	wash	씻다	
11	order	주문하다	
13	bath	목욕	
15	weather	날씨	
17	dance	춤추다	
19	flower	꽃	

02	nurse	간호사	
04	bear	곰	
06	socks	양말	
08	sit	앉다	
10	mountain	산	
12	sick	아픈	
14	skate	스케이트 타다	
16	fly	날다	
18	fever	열	
20	afternoon	오후	

영어 듣기 모의고사

 보통 속도 빠른 속도

| 학습일 | 월 일 | 부모님 확인 | 점수 |

1

다음을 듣고, 첫소리가 <u>다른</u> 낱말을 고르시오.
·· (　　　)

① ② ③ ④

2

다음을 듣고, 들려주는 낱말의 첫소리를 고르시오. ································· (　　　)

_ear

① d 　　② b

③ p 　　④ y

3

다음을 듣고, 단어 카드와 일치하는 낱말을 고르시오. ····························· (　　　)

socks

① ② ③ ④

4

다음을 듣고, 교통수단을 나타내는 낱말이 <u>아닌</u> 것을 고르시오. ····················· (　　　)

① ② ③ ④

5

다음을 듣고, 그림과 일치하는 낱말을 고르시오. ································· (　　　)

① ② ③ ④

6

다음을 듣고, 알맞은 뜻을 고르시오.
··· (   )

① 바다   ② 도시
③ 산   ④ 공원

7

다음을 듣고, 어떤 상황에서 쓰는 표현인지 고르시오. ······································ (   )

① 음식 주문할 때
② 처음 만났을 때
③ 칭찬을 할 때
④ 도움을 줄 때

8

다음을 듣고, 일치하는 그림을 고르시오.
··· (   )

①   ②

③   ④

9

다음 그림과 같은 행동을 시키려면 어떻게 말해야 할지 고르시오. ···················· (   )

①   ②   ③   ④

10

다음 그림을 보고, 여자 아이가 할 말로 알맞은 것을 고르시오. ······················· (   )

①   ②   ③   ④

11

다음을 듣고, 이어질 말로 알맞지 <u>않은</u> 것을 고르시오. ····················· (　　　)

W _____

① ② ③ ④

12

다음을 듣고, 그림과 일치하는 설명을 고르시오. ····················· (　　　)

① ② ③ ④

13

다음을 듣고, 여자 아이가 좋아하는 것을 고르시오. ····················· (　　　)

①  ②

③  ④

14

다음을 듣고, 알맞은 계절을 고르시오.
···································· (　　　)

① 봄　　　　　② 여름
③ 가을　　　　④ 겨울

15

다음 대화를 듣고, 남자가 키우는 고양이는 몇 마리인지 고르시오. ·············· (　　　)

① 2마리　　　　② 3마리
③ 4마리　　　　④ 5마리

16

다음 대화를 듣고, 두 사람이 무엇에 대해 말하고 있는지 고르시오. ················ (   )

① 교통수단
② 취미 활동
③ 학교 수업
④ 장래 희망

17

다음 대화를 듣고, 여자 아이의 모습으로 알맞은 것을 고르시오. ················ (   )

①
②
③
④

18

다음 그림을 보고, 그림과 일치하는 대화를 고르시오. ················ (   )

①   ②   ③   ④

19

다음을 듣고, 이어질 말로 알맞은 것을 고르시오. ································ (   )

W _____

①   ②   ③   ④

20

다음을 듣고, 이어질 말로 알맞은 것을 고르시오. ································ (   )

M _____

①   ②   ③   ④

| 학습일 | 월 일 | 부모님 확인 | | 점수 |

● 잘 듣고, 빈칸에 알맞은 말을 쓰세요.

1

다음을 듣고, 첫소리가 <u>다른</u> 낱말을 고르시오.
·· (   )

① ② ③ ④

❶ W: _____

❷ W: nest

❸ W: nurse

❹ W: _____

nine 9 | nest 둥지 | nurse 간호사 | mat 매트

TIPS 알파벳 N n 사운드와 M m 사운드를 구분해 보세요.

2

다음을 듣고, 들려주는 낱말의 첫소리를 고르시오. ·· (   )

_ear

① d   ② b
③ p   ④ y

M: _____

bear 곰

TIPS bear의 첫소리는 brother(형)의 첫소리와 같습니다.

3

다음을 듣고, 단어 카드와 일치하는 낱말을 고르시오. ·· (   )

socks

① ② ③ ④

❶ W: soccer

❷ W: _____

❸ W: _____

❹ W: sofa

soccer 축구 | socks 양말 | sick 아픈 | sofa 소파

4

다음을 듣고, 교통수단을 나타내는 낱말이 아닌 것을 고르시오. ·········· (   )

①   ②   ③   ④

❶ M: bus

❷ M: _____

❸ M: plane

❹ M: _____

bus 버스 | train 기차 | plane 비행기 | school 학교

TIPS school(학교)은 장소를 나타내는 명사입니다. 교통수단을 나타내는 명사에는 이외에도 ship(배), subway(지하철), taxi(택시) 등이 있습니다.

5

다음을 듣고, 그림과 일치하는 낱말을 고르시오. ·········· (   )

①   ②   ③   ④

❶ W: _____

❷ W: eat

❸ W: sit

❹ W: _____

open 열다 | eat 먹다 | sit 앉다 | run 달리다

6

다음을 듣고, 알맞은 뜻을 고르시오.
·········· (   )

① 바다   ② 도시
③ 산   ④ 공원

M: _____

mountain 산

7

다음을 듣고, 어떤 상황에서 쓰는 표현인지 고르시오. ·········· (   )

① 음식 주문할 때
② 처음 만났을 때
③ 칭찬을 할 때
④ 도움을 줄 때

M: _____ I order some food?

order 주문하다 | food 음식

TIPS 식당에서 음식을 주문할 때 쓰는 표현입니다.
이외에도 Will you take my order?를 쓸 수 있습니다.

8

다음을 듣고, 일치하는 그림을 고르시오. ············ (   )

①  ②  ③  ④

M: _____

coat 코트

9

다음 그림과 같은 행동을 시키려면 어떻게 말해야 할지 고르시오. ············ (   )

① ② ③ ④

❶ M: Stand up.

❷ M: _____ your hands.

❸ M: Take a _____.

❹ M: Help me.

stand 일어서다 | wash 씻다 | hand 손 | bath 목욕

TIPS 상대방에게 행동을 시키는 문장을 명령문이라고 합니다.
명령문은 주어(You)가 생략된 형태로 동사원형으로 시작합니다.

10

다음 그림을 보고, 여자 아이가 할 말로 알맞은 것을 고르시오. ············ (   )

① ② ③ ④

❶ G: _____ you.

❷ G: Excuse me.

❸ G: Good afternoon.

❹ G: _____ down, please.

afternoon 오후 | sit 앉다

TIPS 그림과 같은 상황에서 여자 아이가 선물을 받고 할 수 있는 말을 골라보세요.

11

다음을 듣고, 이어질 말로 알맞지 <u>않은</u> 것을 고르시오. ·····················( )

W _____

①   ②   ③   ④

M: _____ are you today?

❶ W: I'm fine. Thank you.

❷ W: Pretty good.

❸ W: It's _____.

❹ W: I'm great.

today 오늘 | pretty 꽤, 무척 | Saturday 토요일 | great 아주 좋은

TIPS 요일은 첫 글자를 대문자로 씁니다.

12

다음을 듣고, 그림과 일치하는 설명을 고르시오. ·····················( )

①   ②   ③   ④

❶ B: I can _____.

❷ B: I can skate.

❸ B: I can _____.

❹ B: I can fly.

swim 수영하다 | skate 스케이트 타다 | dance 춤추다 | fly 날다

TIPS [can + 동사원형] 형태는 무엇을 할 수 있다는 가능이나 능력을 표현합니다.

13

다음을 듣고, 여자 아이가 좋아하는 것을 고르시오. ·····················( )

①   ②

③   ④

G: I like playing the _____.

like 좋아하다 | play the piano 피아노를 연주하다

TIPS 악기를 연주하다는 표현은 [play the + 악기 이름] 형태입니다.

14

다음을 듣고, 알맞은 계절을 고르시오. ·····················( )

① 봄   ② 여름
③ 가을   ④ 겨울

M: It's _____ and snowing outside.

cold 추운 | snow 눈, 눈이 내리다 | outside 밖에

TIPS season(사계절)인 spring(봄), summer(여름), fall(가을), winter(겨울) 중에서 해당하는 계절을 골라보세요.

15

다음 대화를 듣고, 남자가 키우는 고양이는 몇 마리인지 고르시오. ·········· (   )

① 2마리   ② 3마리
③ 4마리   ④ 5마리

W: How _____ cats do you have?

M: I have _____ cats.

how many 얼마나 많이 | have 가지다

TIPS How many ~? 의문문에 대해서는 Yes/No로 대답할 수 없고, 주로 수치로 대답합니다.

16

다음 대화를 듣고, 두 사람이 무엇에 대해 말하고 있는지 고르시오. ·········· (   )

① 교통수단
② 취미 활동
③ 학교 수업
④ 장래 희망

B: How do you go to school?

G: I go to school by _____.

how 어떻게 | school 학교 | bus 버스

TIPS 교통수단을 표현할 때는 [by + 교통수단]의 형태로 표현합니다.

17

다음 대화를 듣고, 여자 아이의 모습으로 알맞은 것을 고르시오. ·········· (   )

① ② ③ ④

B: Cathy, are you okay?

G: No, I have a _____.

fever 열

TIPS 아픈 곳이 있다고 표현할 때는 동사 have를 써서 표현할 수 있습니다.
have a fever 열이 있다   have a cold 감기에 걸리다
have a runny nose 콧물이 나다

18

다음 그림을 보고, 그림과 일치하는 대화를 고르시오. ·················· ( )

① ② ③ ④

❶ G: Can you swim?

　M: No, I can't.

❷ G: Dad, this flower is for you.

　M: ＿＿＿＿＿＿＿＿＿＿＿ you.

❸ G: I like flowers.

　M: Me, too.

❹ G: How's the weather?

　M: It's ＿＿＿＿＿＿＿＿＿＿＿.

swim 수영하다 | this 이것 | flower 꽃 | too 역시 | weather 날씨 | sunny 맑은

TIPS 그림은 아이가 선물을 드리는 상황으로 알맞은 대화를 골라보세요.

19

다음을 듣고, 이어질 말로 알맞은 것을 고르시오. ·················· ( )

W ＿＿＿＿＿＿＿＿＿＿＿

① ② ③ ④

M: Hey, Mina! Let's ＿＿＿＿＿＿＿＿＿＿＿ tennis.

❶ W: Sounds ＿＿＿＿＿＿＿＿＿＿＿.

❷ W: Yes, he can.

❸ W: I can play the piano.

❹ W: ＿＿＿＿＿＿＿＿＿＿＿, it isn't.

play tennis | 테니스 치다 | play the piano 피아노 치다

TIPS Let's 제안문에 대한 긍정의 대답에는 Sure. / Okay. / That sounds great. 등으로 답할 수 있습니다.

20

다음을 듣고, 이어질 말로 알맞은 것을 고르시오. ·················· ( )

M ＿＿＿＿＿＿＿＿＿＿＿

① ② ③ ④

W: How ＿＿＿＿＿＿＿＿＿＿＿ is this bag?

❶ M: I don't have a bag.

❷ M: He is in the room.

❸ M: It's ＿＿＿＿＿＿＿＿＿＿＿ dollars.

❹ M: I have ＿＿＿＿＿＿＿＿＿＿＿ yellow bags.

bag 가방 | room 방 | dollar 달러 | yellow 노란

TIPS How much ~?는 가격을 묻는 질문으로 그에 맞는 답변을 찾아보세요.

11^회 Sentence Check

● 앞에 모의고사에 나온 문장들을 잘 듣고, 한 번씩 써보세요.

01 Stand up. 일어나라.

Stand up.

02 Wash your hands. 손을 씻어라.

03 Take a bath. 목욕해라.

04 Sit down, please. 앉아 주세요.

05 I'm fine, thank you. 좋아, 고마워.

06 I can skate. 나는 스케이트를 탈 수 있어.

07 I can fly. 나는 날 수 있어.

08 I like playing the piano. 나는 피아노 치는 것을 좋아해.

09 It's cold and snowing outside. 춥고 밖에 눈이 내리고 있어.

10 I like flowers. 나는 꽃을 좋아해.

● 앞에 모의고사에 나온 대화들을 잘 듣고, 한 번씩 써보세요.

01 **A** How do you go to school? 너는 어떻게 학교에 가니?

B I go to school by bus. 나는 버스로 통학해.

▶ **A** How do you go to school?

B I go to school by bus.

02 **A** Are you okay? 괜찮아?

B No, I have a fever. 아니. 열이 있어.

▶ **A**

B

03 **A** Dad, this flower is for you. 아빠, 이 꽃 선물이에요.

B Thank you. 고맙다.

▶ **A**

B

04 **A** Let's play tennis. 테니스 치자.

B Sounds good. 좋아.

▶ **A**

B

05 **A** How much is this bag? 이 가방 얼마니?

B It's 10 dollars. 그것은 10달러야.

▶ **A**

B

12 Warm-up

학습일	월 일	부모님 확인		점수

Step 1 Theme Words 과목

history	역사	science	과학
math	수학	English	영어
music	음악	art	미술

Step 2 Expressions

● 과목을 공부한다고 할 때 동사 study를 써서 표현할 수 있습니다. 이때 동사 study 다음에 동사의 목적어로 과목명이 오는데, 과목명 앞에는 부정관사 a, an이나 정관사 the가 오지 않습니다.

study + 과목

· **study English** 영어 공부를 하다

I study English every day. 나는 매일 영어 공부를 한다.

· **study history** 역사 공부를 하다

He studies history every day. 그는 매일 역사 공부를 한다.

Tips

▶ 동사 study는 주어가 3인칭 단수가 올 경우에 y를 i로 바꾸고 −es를 붙입니다.
worry – worries 걱정하다
cry – cries 울다
try – tries 노력하다

● 무엇을 하고 있는지 물을 때 [be동사 + -ing] 형태로 물어볼 수 있습니다. 이때 의문사 What이 오면 '무엇'을 하고 있는지 묻는 것입니다. 의문사가 있으므로 대답은 Yes/No로 할 수 없습니다.

A **What** are you doing?　　무엇을 하고 있니?

B I**'m studying** math.　　나는 수학을 공부하고 있어.

Practice

● 앞에서 배운 과목을 이용해서 다양한 답변을 만들어 보세요.

I**'m studying** English. 나는 영어를 공부하고 있어.

I**'m studying** science. 나는 과학을 공부하고 있어.

Word Preview

● 문제에 등장하는 단어들을 듣고, 미리 한 번씩 써보세요.

01	horse	말		02	hippo	하마	
03	song	노래		04	orange	오렌지	
05	strawberry	딸기		06	ship	배	
07	tomorrow	내일		08	get up	일어나다	
09	very	매우		10	busy	바쁜	
11	favorite	좋아하는		12	subject	과목	
13	blue	파란		14	math	수학	
15	study	공부하다		16	umbrella	우산	
17	museum	박물관		18	subway	지하철	
19	wallet	지갑		20	present	선물	

학습일 　 월 　 일 　 부모님 확인 　　　 점수

1

다음을 듣고, 첫소리가 <u>다른</u> 낱말을 고르시오.
··· (　　　)

① 　　　 ② 　　　 ③ 　　　 ④

2

다음을 듣고, 들려주는 낱말의 첫소리를 고르시오. ································· (　　　)

① p 　　　　　　 ② d
③ s 　　　　　　 ④ m

3

다음을 듣고, 단어 카드와 일치하는 낱말을 고르시오. ························· (　　　)

① 　　 ② 　　 ③ 　　 ④

4

다음을 듣고, 과목을 나타내는 낱말이 <u>아닌</u> 것을 고르시오. ····················· (　　　)

① 　　 ② 　　 ③ 　　 ④

5

다음을 듣고, 그림과 일치하는 낱말을 고르시오. ································· (　　　)

① 　　 ② 　　 ③ 　　 ④

6

다음을 듣고, 알맞은 뜻을 고르시오.
·························· (   )

① 기차   ② 마을
③ 배   ④ 비행기

7

다음을 듣고, 어떤 상황에서 쓰는 표현인지 고르시오. ························· (   )

① 헤어질 때
② 만났을 때
③ 칭찬을 할 때
④ 도움을 줄 때

8

다음을 듣고, 알맞은 숫자 카드를 고르시오.
··························· (   )

① **10**   ② **11**

③ **12**   ④ **13**

9

다음 그림과 같은 행동을 시키려면 어떻게 말해야 할지 고르시오. ··············· (   )

①   ②   ③   ④

10

다음 그림을 보고, 남자가 할 말로 알맞은 것을 고르시오. ························· (   )

①   ②   ③   ④

11

다음을 듣고, 이어질 말로 알맞은 것을 고르시오. ·························· (   )

W _____

① ② ③ ④

12

다음을 듣고, 그림과 일치하는 설명을 고르시오. ······························ (   )

① ② ③ ④

13

다음 대화를 듣고, 여자 아이가 공부하고 있는 과목을 고르시오. ····················· (   )

① 과학   ② 체육
③ 수학   ④ 역사

14

다음 대화를 듣고, 남자 아이가 찾고 있는 것을 고르시오. ····························· (   )

①    ②

③    ④

15

다음 대화를 듣고, 여자 아이가 박물관 갈 때 이용하는 교통수단을 고르시오. ··· (   )

① 버스   ② 자동차
③ 지하철   ④ 택시

16

다음 대화를 듣고, 두 사람이 무엇에 대해 말하고 있는지 고르시오. ·············· (   )

① 학교 과제
② 좋아하는 음식
③ 좋아하는 과목
④ 장래 희망

17

다음 대화를 듣고, 남자 아이의 모습으로 알맞은 것을 고르시오. ················ (   )

①  ②

③  ④

18

다음 그림을 보고, 그림과 일치하는 대화를 고르시오. ···························· (   )

① ② ③ ④

19

다음을 듣고, 이어질 말로 알맞은 것을 고르시오. ······························ (   )

W _____

① ② ③ ④

20

다음 대화를 듣고, 이어질 말로 알맞은 것을 고르시오. ························ (   )

B _____

① ② ③ ④

Dictation 영어 듣기 모의고사

| 학습일 | 월 일 | 부모님 확인 | 점수 |

● 잘 듣고, 빈칸에 알맞은 말을 쓰세요.

1

다음을 듣고, 첫소리가 <u>다른</u> 낱말을 고르시오.
·····················( )

① ② ③ ④

❶ W: _____

❷ W: horse

❸ W: _____

❹ W: hippo

hat 모자 | horse 말 | who 누구 | hippo 하마

TIPS 알파벳 H h 사운드와 W w 사운드를 구분해 보세요.

2

다음을 듣고, 들려주는 낱말의 첫소리를 고르시오. ·····················( )

_iano

① p   ② d
③ s   ④ m

M: _____

piano 피아노

TIPS piano의 첫소리는 parents(부모)의 첫소리와 같습니다.

3

다음을 듣고, 단어 카드와 일치하는 낱말을 고르시오. ·····················( )

science

① ② ③ ④

❶ W: soccer

❷ W: _____

❸ W: _____

❹ W: music

soccer 축구 | song 노래 | science 과학 | music 음악

TIPS science(과학)는 과목명으로, 이외에도 과목명에는 math(수학), history(역사), English(영어), music(음악), arts(미술) 등이 있습니다.

4

다음을 듣고, 과목을 나타내는 낱말이 <u>아닌</u> 것을 고르시오. ················· (   )

① ② ③ ④

❶ M: English

❷ M: _____

❸ M: history

❹ M: _____

English 영어 | math 수학 | history 역사 | table 식탁

TIPS table(식탁)은 사물입니다.

5

다음을 듣고, 그림과 일치하는 낱말을 고르시오. ················· (   )

① ② ③ ④

❶ W: _____

❷ W: apples

❸ W: _____

❹ W: strawberries

orange 오렌지 | apple 사과 | tomato 토마토 | strawberry 딸기

TIPS 명사의 복수형은 주로 끝에 −s를 붙이지만 tomato처럼 o로 끝나는 명사는 끝에 −es를 붙이고, strawberry처럼 y로 끝나는 명사는 y를 i로 바꾸고 −es를 붙입니다.

6

다음을 듣고, 알맞은 뜻을 고르시오.
················· (   )

① 기차 ② 마을
③ 배 ④ 비행기

M: _____

ship 배

TIPS ship을 교통수단으로 사용할 때는 [by+교통수단] 형태로 사용합니다.

7

다음을 듣고, 어떤 상황에서 쓰는 표현인지 고르시오. ················· (   )

① 헤어질 때
② 만났을 때
③ 칭찬을 할 때
④ 도움을 줄 때

W: See you _____.

see 보다 | tomorrow 내일

TIPS 헤어질 때 쓰는 표현으로 이외에도 Bye. / Good-bye. / Take care. / Have a nice day. 등을 사용할 수 있습니다.

8

다음을 듣고, 알맞은 숫자 카드를 고르시오. ············ (   )

① **10** ② **11**
③ **12** ④ **13**

M: _____

eleven 11, 열하나

TIPS 보기에 등장하는 숫자를 각각 ten(10), twelve(12), thirteen(13) 입니다.

9

다음 그림과 같은 행동을 시키려면 어떻게 말해야 할지 고르시오. ············· (   )

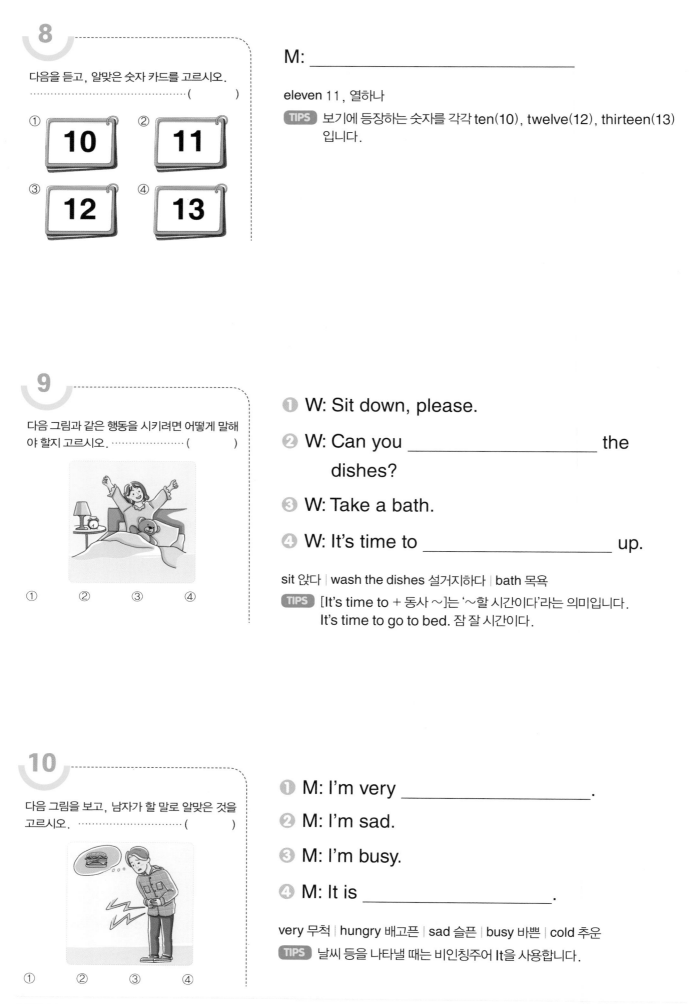

①   ②   ③   ④

❶ W: Sit down, please.

❷ W: Can you _____ the dishes?

❸ W: Take a bath.

❹ W: It's time to _____ up.

sit 앉다 | wash the dishes 설거지하다 | bath 목욕

TIPS [It's time to + 동사 ~]는 '~할 시간이다'라는 의미입니다.
It's time to go to bed. 잠 잘 시간이다.

10

다음 그림을 보고, 남자가 할 말로 알맞은 것을 고르시오. ············· (   )

①   ②   ③   ④

❶ M: I'm very _____.

❷ M: I'm sad.

❸ M: I'm busy.

❹ M: It is _____.

very 무척 | hungry 배고픈 | sad 슬픈 | busy 바쁜 | cold 추운

TIPS 날씨 등을 나타낼 때는 비인칭주어 It을 사용합니다.

11

다음을 듣고, 이어질 말로 알맞은 것을 고르시오. ·············· (   )

W _____

①   ②   ③   ④

M: What is your favorite _____?

W: _____

❶ W: I like _____.

❷ W: They are white.

❸ W: The sky is _____.

❹ W: I like summer.

favorite 좋아하는 | subject 과목 | music 음악 | sky 하늘 | blue 파란

TIPS 좋아하는 과목을 묻는 질문에 적절한 응답을 골라보세요.

12

다음을 듣고, 그림과 일치하는 설명을 고르시오. ·············· (   )

①   ②   ③   ④

❶ M: The boy is playing baseball.

❷ M: The boy is swimming.

❸ M: The boy is _____ English.

❹ M: The boy is studying _____.

baseball 야구 | swim 수영하다 | study 공부하다 | English 영어 | math 수학

TIPS [be동사 + -ing] 형태는 진행시제를 표현하며, '~하고 있다'라고 해석합니다.

13

다음 대화를 듣고, 여자 아이가 공부하고 있는 과목을 고르시오. ·············· (   )

① 과학   ② 체육
③ 수학   ④ 역사

B: What are you doing?

G: I'm studying _____.

what 무엇 | study 공부하다 | history 역사

TIPS 동사 study의 목적어 자리에는 명사나 동명사가 올 수 있습니다.

14

다음 대화를 듣고, 남자 아이가 찾고 있는 것을 고르시오. ·············· (   )

①   ②
③   ④

G: What are you looking for, Sam?

B: I'm looking for my _____.

look for ~을 찾다 | umbrella 우산

15

다음 대화를 듣고, 여자 아이가 박물관 갈 때 이용하는 교통수단을 고르시오. … (   )

① 버스　　　　② 자동차
③ 지하철　　　④ 택시

B: How do you go to the museum? By bus?

G: No, I go there by _____.

museum 박물관 | **by** ~로 | **subway** 지하철

TIPS 교통수단을 나타낼 때는 [by+교통수단] 형태로 사용합니다.

16

다음 대화를 듣고, 두 사람이 무엇에 대해 말하고 있는지 고르시오. ……………… (   )

① 학교 과제
② 좋아하는 음식
③ 좋아하는 과목
④ 장래 희망

G: Do you like pasta, Thomas?

B: No, I _____. I like chicken.

pasta 파스타 | **chicken** 치킨

TIPS Do 의문문은 Yes/No로 대답해야 하며, 긍정에는 do[does], 부정에는 don't[doesn't]를 사용합니다.

17

다음 대화를 듣고, 남자 아이의 모습으로 알맞은 것을 고르시오. ……………… (   )

G: _____ are you crying?

B: I lost my wallet.

cry 울다 | **lost** 잃어버리다(lose)의 과거분사형 | **wallet** 지갑

TIPS lost는 동사 lose의 과거분사형으로 불규칙적으로 변하는 동사입니다.

18

다음 그림을 보고, 그림과 일치하는 대화를 고르시오. ·························· (   )

① ② ③ ④

❶ W: Can you ski?

    M: No, I can't.

❷ W: I want _____ hamburgers.

    M: Okay.

❸ W: I have a cat.

    M: Me, too.

❹ W: Let's _____ together.

    M: Okay.

ski 스키 타다 | want 원하다 | hamburger 햄버거 | too 역시 | together 함께

TIPS 그림은 음식을 주문하는 상황으로 알맞은 대화를 골라보세요.

19

다음을 듣고, 이어질 말로 알맞은 것을 고르시오. ·························· (   )

W _____

① ② ③ ④

M: What are you _____ now?

❶ W: I'm doing my _____.

❷ W: Yes, I can.

❸ W: I like history.

❹ W: We are eating _____.

eat 먹다 | homework 숙제 | history 역사 | pizza 피자

TIPS What으로 시작하는 의문문은 Yes/No로 답할 수 없습니다.

20

다음 대화를 듣고, 이어질 말로 알맞은 것을 고르시오. ·························· (   )

B _____

① ② ③ ④

B: Tomorrow is my birthday.

G: What do you want for your birthday _____?

❶ B: I'm studying math.

❷ B: I want new _____.

❸ B: I want to be a teacher.

❹ B: I love _____.

tomorrow 내일 | birthday 생일 | present 선물 | math 수학 | shoes 신발 | dancing 춤추는 것

TIPS What do you want ~? 의문문은 무엇을 원하는지 묻는 질문입니다. 의문사가 있으므로 Yes/No로 답할 수 없습니다.

● 앞에 모의고사에 나온 문장들을 잘 듣고, 한 번씩 써보세요.

01 See you tomorrow. 내일 보자.

See you tomorrow.

02 It's time to get up. 일어날 시간이야.

03 I'm very hungry. 나는 무척 배고프다.

04 The sky is blue. 하늘이 파랗다.

05 The boy is playing baseball. 소년이 야구를 하고 있어.

06 I'm studying history. 나 역사 공부하고 있어.

07 I'm looking for my umbrella. 나는 내 우산을 찾고 있어.

08 I'm doing my homework. 숙제하고 있어.

09 I want to be a teacher. 나는 선생님이 되고 싶어.

10 I love dancing. 나는 춤추는 것을 아주 좋아해.

● 앞에 모의고사에 나온 대화들을 잘 듣고, 한 번씩 써보세요.

01　**A** How do you go to the museum? 너는 박물관에 어떻게 가?

　　B I go there by subway. 나는 지하철을 타고 가.

　▶ **A** How do you go to the museum?

　　B I go there by subway.

02　**A** Why are you crying? 왜 울고 있니?

　　B I lost my wallet. 나 지갑을 잃어버렸어.

　▶ **A**

　　B

03　**A** Let's swim together. 같이 수영하자.

　　B Okay. 좋아.

　▶ **A**

　　B

04　**A** What are you eating now? 너희는 지금 뭐 먹고 있니?

　　B We are eating pizza. 우리는 피자를 먹고 있어.

　▶ **A**

　　B

05　**A** What do you want for your birthday present? 생일 선물로 무엇을 갖고 싶니?

　　B I want new shoes. 새 신발을 갖고 싶어.

　▶ **A**

　　B

13 Warm-up

학습일	월 일	부모님 확인		점수

Step 1 Theme Words 감정

	sad	슬픈		happy	행복한
	angry	화난		glad	기쁜
	sorry	미안한		upset	속상한

Step 2 Expressions

● 동사 feel은 '(특정한 감정이나 기분이) 들다'라는 의미로 뒤에 감정 표현 형용사가 와서 감정을 나타낼 수 있습니다.

feel + 감정 표현 형용사

· **feel sad** 슬프다

I feel sad. 나는 슬프다.

· **feel happy** 행복하다

He feels happy today. 그는 오늘 행복하다.

Tips

▶ 동사 feel의 과거형은 felt로 불규칙적으로 변하는 동사입니다. 이렇게 불규칙적으로 변하는 동사에는 다음과 같은 것들이 있습니다.
buy 사다 – bought
say 말하다 – said
come 오다 – came

● 감정에 대해 물을 때 동사 feel을 이용해서 How are you feeling?이라고 물을 수 있습니다. 이때 동사 feel 다음에 감정 표현의 형용사를 이용해서 대답할 수 있습니다.

A **How** are you feeling today?   오늘 기분[컨디션] 어때?

B I feel **good**.   좋아.

Practice

● 앞에서 배운 감정 표현 형용사를 이용해서 다양한 답변을 만들어 보세요.

I don't feel **good**. 나는 몸이 안 좋아.

I'm very **upset** today. 나는 오늘 무척 속상해.

Word Preview

● 문제에 등장하는 단어들을 듣고, 미리 한 번씩 써보세요.

01	jacket	재킷		02	jungle	정글	
03	duck	오리		04	company	회사	
05	airplane	비행기		06	sky	하늘	
07	angry	화난		08	towel	수건	
09	face	얼굴		10	noise	소음	
11	library	도서관		12	sleep	자다	
13	drink	마시다		14	juice	주스	
15	tail	꼬리		16	bread	빵	
17	color	색		18	wing	날개	
19	hungry	배고픈		20	full	배부른	

영어 듣기 모의고사

 보통 속도 빠른 속도

| 학습일 | 월 일 | 부모님 확인 | 점수 |

1

다음을 듣고, 첫소리가 <u>다른</u> 낱말을 고르시오.
······························ (   )

①   ②   ③   ④

2

다음을 듣고, 들려주는 낱말의 첫소리를 고르시오. ······························ (   )

① s   ② m

③ d   ④ b

3

다음을 듣고, 단어 카드와 일치하는 낱말을 고르시오. ······························ (   )

computer

①   ②   ③   ④

4

다음을 듣고, 감정을 나타내는 낱말이 <u>아닌</u> 것을 고르시오. ······················ (   )

①   ②   ③   ④

5

다음을 듣고, 그림과 일치하는 낱말을 고르시오. ······························ (   )

①   ②   ③   ④

6

다음을 듣고, 알맞은 뜻을 고르시오.
·· (   )

① 상점   ② 자전거

③ 자동차   ④ 도로

7

다음을 듣고, 어떤 상황에서 쓰는 표현인지 고르시오. ····························· (   )

① 인사할 때

② 부탁할 때

③ 칭찬할 때

④ 도와주려고 할 때

8

다음을 듣고, 알맞은 그림을 고르시오.
··· (   )

9

다음 그림과 같은 행동을 시키려면 어떻게 말해야 할지 고르시오. ····················· (   )

10

다음 그림을 보고, 선생님이 할 말로 알맞은 것을 고르시오. ····························· (   )

11

다음을 듣고, 이어질 말로 알맞지 <u>않은</u> 것을 고르시오. ···································· (   )

W _____

①   ②   ③   ④

12

다음을 듣고, 그림과 일치하는 설명을 고르시오. ······························· (   )

①   ②   ③   ④

13

다음을 듣고, 여자의 반려동물을 고르시오. ····································· (   )

①    ②

③   ④

14

다음을 듣고, 무엇을 설명하고 있는지 고르시오. ······························· (   )

① 자전거   ② 자동차
③ 지하철   ④ 비행기

15

다음 대화를 듣고, 아이가 사려고 하는 물건을 고르시오. ··························· (   )

①    ②

③    ④

16

다음 대화를 듣고, 두 사람이 무엇에 대해 말하고 있는지 고르시오. ·················· (　　　)

① 가족
② 좋아하는 색
③ 숙제
④ 좋아하는 동물

18

다음 그림을 보고, 그림과 일치하는 대화를 고르시오. ····························· (　　　)

①　　　②　　　③　　　④

17

다음 대화를 듣고, 남자 아이의 모습으로 알맞은 것을 고르시오. ···················· (　　　)

①　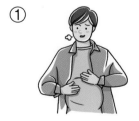　②　

③　　④　

19

다음을 듣고, 이어질 말로 알맞은 것을 고르시오. ····························· (　　　)

G _____

①　　　②　　　③　　　④

20

다음을 듣고, 이어질 말로 알맞은 것을 고르시오. ····························· (　　　)

M _____

①　　　②　　　③　　　④

Dictation 영어 듣기 모의고사

학습일   월   일   부모님 확인   점수

● 잘 듣고, 빈칸에 알맞은 말을 쓰세요.

1

다음을 듣고, 첫소리가 다른 낱말을 고르시오.
································· (　　)

① ② ③ ④

❶ W: jacket

❷ W: _____

❸ W: jungle

❹ W: _____

jacket 재킷 | jump 뛰어 오르다 | jungle 정글 | zoo 동물원
TIPS 알파벳 J j 사운드와 Z z 사운드를 구분해 보세요.

2

다음을 듣고, 들려주는 낱말의 첫소리를 고르시오. ················· (　　)

_uck

① s   ② m
③ d   ④ b

M: _____

duck 오리
TIPS duck의 첫소리는 day(날)의 첫소리와 같습니다.

3

다음을 듣고, 단어 카드와 일치하는 낱말을 고르시오. ················· (　　)

computer

① ② ③ ④

❶ W: _____

❷ W: game

❸ W: come

❹ W: _____

computer 컴퓨터 | game 게임 | come 오다 | company 회사

4

다음을 듣고, 감정을 나타내는 낱말이 <u>아닌</u> 것을 고르시오. ·········· ( )

① ② ③ ④

① M: sad

② M: _____

③ M: angry

④ M: _____

sad 슬픈 | happy 행복한 | angry 화난 | airplane 비행기

TIPS airplane(비행기)은 교통수단입니다. 감정을 나타내는 형용사에는 이외에도 upset(속상한), pleased(기쁜), surprised(놀란) 등이 있습니다.

5

다음을 듣고, 그림과 일치하는 낱말을 고르시오. ·········· ( )

① ② ③ ④

① W: _____

② W: school

③ W: buildings

④ W: _____

children 아이들 | school 학교 | building 건물 | doctor 의사

TIPS 명사의 복수형은 주로 끝에 −s나 −es를 붙이지만, child의 복수형은 children입니다.

6

다음을 듣고, 알맞은 뜻을 고르시오.
·········· ( )

① 상점   ② 자전거
③ 자동차   ④ 도로

M: _____

bicycle 자전거

TIPS bicycle은 흔히 bike라고도 사용합니다.

7

다음을 듣고, 어떤 상황에서 쓰는 표현인지 고르시오. ·········· ( )

① 인사할 때
② 부탁할 때
③ 칭찬할 때
④ 도와주려고 할 때

M: _____ I help you?

help 돕다

TIPS 도와줄 때 사용할 수 있는 표현으로 이외에도 How may I help you? / Can I help you? 등을 사용할 수 있습니다.

8

다음을 듣고, 알맞은 그림을 고르시오.
························· (   )

① 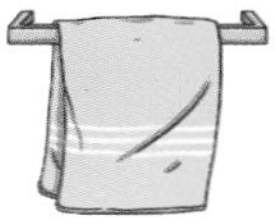 ②  ③  ④

W: _____

towel 수건

TIPS 보기에 등장하는 물건은 각각 mirror(거울), toothpaste(치약), shampoo(샴푸)입니다.

9

다음 그림과 같은 행동을 시키려면 어떻게 말해야 할지 고르시오. ··············· (   )

① ② ③ ④

❶ M: Wash your _____.

❷ M: Wash your hands.

❸ M: Wash the dishes.

❹ M: _____ the car.

face 얼굴 | **hand** 손 | **car** 자동차

TIPS 상대방에게 행동을 시키는 문장을 명령문이라고 합니다.
명령문은 주어(You)가 생략된 형태로 동사원형으로 시작합니다.

10

다음 그림을 보고, 선생님이 할 말로 알맞은 것을 고르시오. ··············· (   )

① ② ③ ④

❶ W: Don't make _____ in the library.

❷ W: Don't run in the library.

❸ W: Don't eat in the library.

❹ W: Don't _____ in the library.

noise 소음 | **library** 도서관 | **run** 뛰다 | **eat** 먹다 | **sleep** 자다

TIPS 일반동사 명령문의 부정형은 동사 앞에 Don't을 붙이고, '~하지 마라'고 해석합니다.

11

다음을 듣고, 이어질 말로 알맞지 <u>않은</u> 것을 고르시오. ·····················( )

W _____

①   ②   ③   ④

M: _____ you _____
    fried chicken?

❶ W: Yes, I do.

❷ W: No, I don't.

❸ W: Yes, it is.

❹ W: Yes, it's my favorite _____.

favorite 좋아하는 | **fried chicken** 프라이드치킨 | **food** 음식

TIPS 일반동사가 있는 문장을 의문문으로 만들 때 Do가 필요합니다. Do로 물어보면 do를 이용해 답합니다.

12

다음을 듣고, 그림과 일치하는 설명을 고르시오. ·····················( )

①   ②   ③   ④

❶ M: The girl is reading a book.

❷ M: The girl is _____ juice.

❸ M: The girl is studying.

❹ M: The girl is _____ pizza.

read 읽다 | **book** 책 | **drink** 마시다 | **study** 공부하다 | **eat** 먹다

TIPS [be동사 + -ing] 형태는 진행시제를 표현하며, '~하고 있다'라고 해석합니다.

13

다음을 듣고, 여자의 반려동물을 고르시오. ·····················( )

①   ②

③   ④

W: I have a _____ cat.
    It has a _____ tail.

white 하얀 | **long** 긴 | **tail** 꼬리

TIPS 여자의 고양이는 꼬리가 길고 하얀색입니다.

14

다음을 듣고, 무엇을 설명하고 있는지 고르시오. ·····················( )

① 자전거   ② 자동차
③ 지하철   ④ 비행기

M: This has _____.
    This can _____ in the sky.

wing 날개 | **fly** 날다 | **sky** 하늘

TIPS 조동사 can은 '~할 수 있다'라는 의미로 can 다음에는 동사원형이 와야 합니다.

15

다음 대화를 듣고, 아이가 사려고 하는 물건을 고르시오. ·················· (   )

①
②
③
④

W: May I help you?

B: Yes. I want to buy some _____

_____.

help 돕다 | some 약간 | potato chips 감자칩

TIPS May I help you?는 상점 등에서 손님을 맞을 때 쓸 수 있는 표현입니다.

16

다음 대화를 듣고, 두 사람이 무엇에 대해 말하고 있는지 고르시오. ·············· (   )

① 가족
② 좋아하는 색
③ 숙제
④ 좋아하는 동물

M: What's your favorite _____?

W: I like _____. How about you?

M: I like _____.

favorite 좋아하는 | color 색 | blue 파란색 | red 빨간색

TIPS blue, red를 통해서 색을 말하고 있음을 알 수 있습니다.

17

다음 대화를 듣고, 남자 아이의 모습으로 알맞은 것을 고르시오. ·············· (   )

①
②
③
④

G: Are you _____?

B: No, I'm full.

hungry 배고픈 | full 배부른

TIPS 형용사에는 반대 의미로 짝을 이루는 경우가 있습니다.
fast 빠른 – slow 느린   happy 행복한 – sad 슬픈
long 긴 – short 짧은   good 좋은 – bad 나쁜

18

다음 그림을 보고, 그림과 일치하는 대화를 고르시오. ····························· (　　)

① 　② 　③ 　④

① G: Let's play baseball.

B: I'd like to, but I can't.

② G: Let's buy some _____.

B: Okay.

③ G: I like flowers.

B: What kind of flower do you like?

④ G: _____ are you?

B: I'm in the library.

play baseball 야구하다 | bread 빵 | flower 꽃 | library 도서관

TIPS 그림에서 아이들이 빵집에 들어가는 상황으로 알맞은 대화를 골라 보세요. Let's로 시작하는 제안문에는 긍정일 때는 Sure. / Okay. / That sounds great. 등으로 답할 수 있습니다.

19

다음을 듣고, 이어질 말로 알맞은 것을 고르시오. ····························· (　　)

G _____

① 　② 　③ 　④

B: Susie, can you speak Chinese?

① G: I have to do my _____.

② G: Yes, I can.

③ G: I feel _____.

④ G: No, it isn't.

speak 말하다 | Chinese 중국어 | homework 숙제 | good 좋은

TIPS Can으로 물으며, can이나 can't를 이용해 대답합니다.

20

다음을 듣고, 이어질 말로 알맞은 것을 고르시오. ····························· (　　)

M _____

① 　② 　③ 　④

W: How _____ are you?

① M: It's an apple.

② M: It's two dollars.

③ M: _____ is 180 cm.

④ M: _____ 160 cm.

how tall 얼마나 키가 큰 | dollar 달러

TIPS How tall ~?은 사람을 대상으로 키를 물을 때 사용하는 표현입니다. 대답할 때 주어를 잘 확인하세요.

13 Sentence Check

앞에 모의고사에 나온 문장들을 잘 듣고, 한 번씩 써보세요.

01 May I help you? 도와줄까요?

May I help you?

02 Wash your hands. 손을 씻어라.

03 Don't make noise in the library. 도서관에서는 시끄럽게 하지 마라.

04 Don't eat in the library. 도서관에서는 먹지 마라.

05 How about you? 너는 어때?

06 The girl is reading a book. 소녀는 책을 읽고 있어.

07 This can fly in the sky. 이것은 하늘에서 날 수 있어.

08 I want to buy some potato chips. 감자칩을 사려고 하는데요.

09 I have to do my homework. 나는 숙제를 해야 해.

10 I like flowers. 나는 꽃을 좋아해.

● 앞에 모의고사에 나온 대화들을 잘 듣고, 한 번씩 써보세요.

01 **A** Are you hungry? 너 배고프니?

　　 B No, I'm full. 아니, 배불러.

　　▶ **A** Are you hungry?

　　 B No, I'm full.

02 **A** Let's play baseball. 야구하자.

　　 B I'd like to, but I can't. 그러고 싶은데 할 수 없어.

　　▶ **A**

　　 B

03 **A** Where are you? 어디에 있니?

　　 B I'm in the library. 도서관에 있어.

　　▶ **A**

　　 B

04 **A** Can you speak Chinese? 중국어 할 수 있니?

　　 B Yes, I can. 응, 할 수 있어.

　　▶ **A**

　　 B

05 **A** How tall are you? 너는 키가 얼마나 크니?

　　 B I'm 160 cm. 나는 160cm야.

　　▶ **A**

　　 B

Warm-up

Step 1 Theme Words 직업

	teacher	선생님		doctor	의사
	singer	가수		cook	요리사
	scientist	과학자		dancer	무용수

Step 2 Expressions

● 동사 want를 써서 '~이 되고 싶다'라고 표현할 수 있습니다. 이때 동사 want의 목적어로 오는 to부정사는 '~이 되는 것'을 원한다는 표현입니다.

want to be a + 직업 표현 명사

· **want to be a teacher** 선생님이 되고 싶다

I want to be a teacher. 나는 선생님이 되고 싶다.

· **want to be a doctor** 의사가 되고 싶다

He wants to be a doctor. 그는 의사가 되고 싶다.

Tips

▶ 동사 want도 주어가 3인칭 단수형인 he나 she가 오면 동사 끝에 -s를 붙여야 합니다.

●일반동사의 의문문은 조동사 Do[Does]를 사용해서 의문문을 만듭니다. 이때 3인칭 단수 주어에는 Does를 쓰고, 그 외에는 Do를 사용합니다. Do 의문문은 Yes/No로 답해야 합니다.

Ⓐ **Do** you want to be a teacher?　너는 선생님이 되고 싶니?

Ⓑ No, I want to be a **singer**.　아니, 나는 가수가 되고 싶어.

Practice

●앞에서 배운 직업 표현 명사를 이용해서 다양한 답변을 만들어 보세요.

Yes, I want to be a teacher. 응, 나는 선생님이 되고 싶어.

No, I want to be a scientist. 아니, 나는 과학자가 되고 싶어.

Word Preview

●문제에 등장하는 단어들을 듣고, 미리 한 번씩 써보세요.

01	sofa	소파		02	toy	장난감	
03	someone	누군가		04	color	색	
05	clock	시계		06	rice	쌀, 밥	
07	salt	소금		08	sugar	설탕	
09	money	돈		10	classmate	반 친구	
11	elephant	코끼리		12	cross	건너다	
13	street	길, 거리		14	raise	들어 올리다	
15	idea	생각		16	sunny	맑은	
17	thirsty	목마른		18	bird	새	
19	room	방		20	future	장래, 미래	

영어 듣기 모의고사

 보통 속도   빠른 속도

| 학습일 | 월 | 일 | 부모님 확인 | 점수 |

1

다음을 듣고, 첫소리가 <u>다른</u> 낱말을 고르시오.
·····················(   )

①   ②   ③   ④

2

다음을 듣고, 들려주는 낱말의 첫소리를 고르시오. ·····················(   )

① s   ② b
③ c   ④ h

3

다음을 듣고, 단어 카드와 일치하는 낱말을 고르시오. ·····················(   )

clock

①   ②   ③   ④

4

다음을 듣고, 직업을 나타내는 낱말이 <u>아닌</u> 것을 고르시오. ·····················(   )

①   ②   ③   ④

5

다음을 듣고, 그림과 일치하는 낱말을 고르시오. ·····················(   )

①   ②   ③   ④

6

다음을 듣고, 알맞은 뜻을 고르시오.
··· (   )

① 교실   ② 반 친구

③ 선생님   ④ 운동장

7

다음을 듣고, 어떤 상황에서 쓰는 표현인지 고르시오. ································· (   )

① 자기 소개할 때

② 부탁할 때

③ 헤어질 때

④ 도움을 줄 때

8

다음을 듣고, 일치하는 그림을 고르시오.
··· (   )

①    ②

③    ④

9

다음 그림과 같은 행동을 시키려면 어떻게 말해야 할지 고르시오. ····················· (   )

①   ②   ③   ④

10

다음 그림을 보고, 여자가 할 말로 알맞은 것을 고르시오. ······························· (   )

①   ②   ③   ④

11

다음을 듣고, 이어질 말로 알맞지 <u>않은</u> 것을 고르시오. ······························· (   )

B _____

①   ②   ③   ④

12

다음을 듣고, 그림과 일치하는 표현을 고르시오. ····························· (   )

①   ②   ③   ④

13

다음을 듣고, 아이가 원하는 것을 고르시오.
······································· (   )

①    ②

③    ④

14

다음을 듣고, 아이가 어디에 있는지 고르시오.
··· (   )

① 교실   ② 방
③ 욕실   ④ 부엌

15

다음 대화를 듣고, 새가 몇 마리인지 고르시오. ····························· (   )

① 2마리   ② 3마리
③ 4마리   ④ 5마리

16

다음 대화를 듣고, 두 사람이 무엇에 대해 말하고 있는지 고르시오. ·············· (   )

① 숙제
② 취미 활동
③ 친구
④ 장래 희망

18

다음 그림을 보고, 그림과 일치하는 대화를 고르시오. ·············· (   )

①   ②   ③   ④

17

다음 대화를 듣고, 남자 아이의 모습으로 알맞은 것을 고르시오. ·············· (   )

①
②
③
④

19

다음을 듣고, 이어질 말로 알맞은 것을 고르시오. ·············· (   )

G _____

①   ②   ③   ④

20

다음 대화를 듣고, 이어질 말로 알맞은 것을 고르시오. ·············· (   )

M _____

①   ②   ③   ④

| 학습일 | 월 | 일 | 부모님 확인 | 점수 |

● 잘 듣고, 빈칸에 알맞은 말을 쓰세요.

1

다음을 듣고, 첫소리가 <u>다른</u> 낱말을 고르시오.
·····················(   )

①   ②   ③   ④

❶ W: _____

❷ W: sofa

❸ W: _____

❹ W: sky

six 6, 여섯 | sofa 소파 | toy 장난감 | sky 하늘

TIPS 알파벳 S s 사운드와 T t 사운드를 구분해 보세요.

2

다음을 듣고, 들려주는 낱말의 첫소리를 고르시오. ·····················(   )

_olor

① s   ② b
③ c   ④ h

M: _____

color 색

TIPS color의 첫소리는 car(자동차)의 첫소리와 같습니다.

3

다음을 듣고, 단어 카드와 일치하는 낱말을 고르시오. ·····················(   )

clock

①   ②   ③   ④

❶ W: _____

❷ W: black

❸ W: cold

❹ W: _____

clock 시계 | black 검은색 | cold 추운 | table 식탁

4

다음을 듣고, 직업을 나타내는 낱말이 <u>아닌</u> 것을 고르시오. ·················· (   )

①   ②   ③   ④

❶ M: teacher

❷ M: _____

❸ M: doctor

❹ M: _____

teacher 선생님 | subway 지하철 | doctor 의사 | singer 가수

TIPS subway(지하철)는 교통수단입니다. 직업을 나타내는 명사에는 이외에도 nurse(간호사), dancer(무용수), actor(배우) 등이 있습니다.

5

다음을 듣고, 그림과 일치하는 낱말을 고르시오. ·················· (   )

①   ②   ③   ④

❶ W: rice

❷ W: _____

❸ W: sugar

❹ W: _____

rice 쌀 | salt 소금 | sugar 설탕 | money 돈

TIPS 명사에는 셀 수 있는 명사와 셀 수 없는 명사가 있습니다. money(돈)를 포함해서 예시된 단어들은 모두 셀 수 없는 명사입니다.

6

다음을 듣고, 알맞은 뜻을 고르시오.
·················· (   )

① 교실   ② 반 친구
③ 선생님   ④ 운동장

M: _____

classmate 반 친구

TIPS classmate는 명사 class(반)와 mate(친구)가 결합해서 만들어진 명사입니다.

7

다음을 듣고, 어떤 상황에서 쓰는 표현인지 고르시오. ·················· (   )

① 자기 소개할 때
② 부탁할 때
③ 헤어질 때
④ 도움을 줄 때

M: Hello, my _____ is Mike.

hello 안녕 | name 이름

TIPS 자신을 소개할 때 쓰는 표현입니다.

8

다음을 듣고, 일치하는 그림을 고르시오.
.... (　　)

① 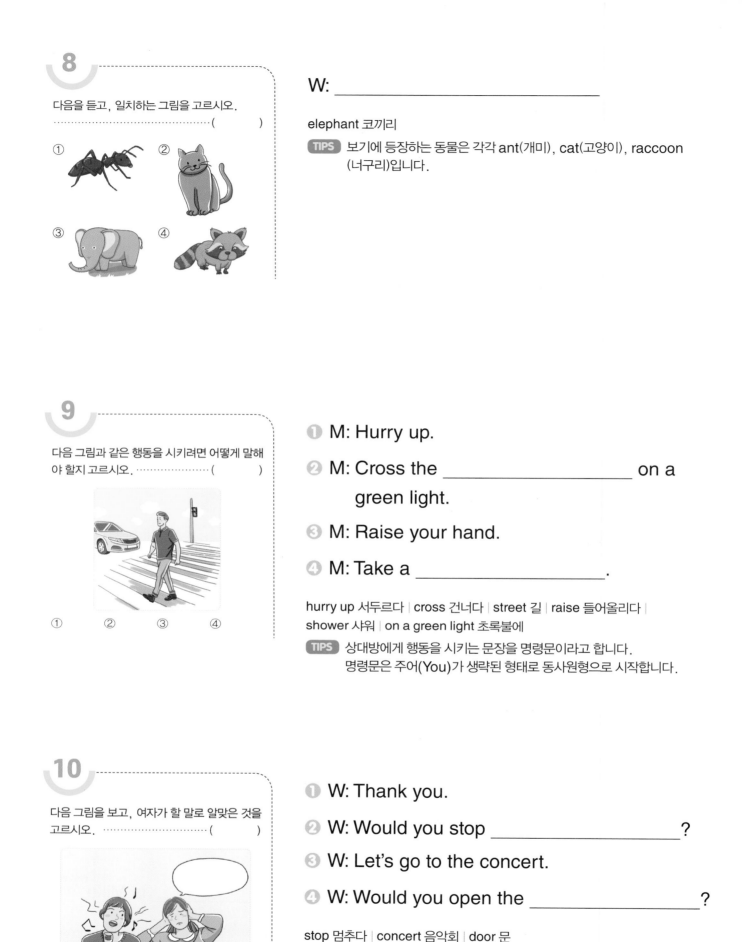　②

③　④

W: _____

elephant 코끼리

TIPS 보기에 등장하는 동물은 각각 ant(개미), cat(고양이), raccoon (너구리)입니다.

9

다음 그림과 같은 행동을 시키려면 어떻게 말해야 할지 고르시오. .... (　　)

①　②　③　④

❶ M: Hurry up.

❷ M: Cross the _____ on a green light.

❸ M: Raise your hand.

❹ M: Take a _____.

hurry up 서두르다 | cross 건너다 | street 길 | raise 들어올리다 | shower 샤워 | on a green light 초록불에

TIPS 상대방에게 행동을 시키는 문장을 명령문이라고 합니다. 명령문은 주어(You)가 생략된 형태로 동사원형으로 시작합니다.

10

다음 그림을 보고, 여자가 할 말로 알맞은 것을 고르시오. .... (　　)

①　②　③　④

❶ W: Thank you.

❷ W: Would you stop _____?

❸ W: Let's go to the concert.

❹ W: Would you open the _____?

stop 멈추다 | concert 음악회 | door 문

TIPS stop singing에서 singing은 stop의 목적어로 동사 sing에 -ing가 붙어서 동명사가 된 것입니다.

11

다음을 듣고, 이어질 말로 알맞지 않은 것을 고르시오. ····················· (   )

B _____

①   ②   ③   ④

G: It's sunny today. _____ play soccer.

❶ B: Sounds good.

❷ B: That's a good idea.

❸ B: _____ you.

❹ B: I'd like to, but I can't.

sunny 맑은 | soccer 축구 | idea 생각

TIPS Let's로 시작하는 제안문에는 긍정일 때 Sure. / Okay. / That sounds great. 등으로 답할 수 있습니다.

12

다음을 듣고, 그림과 일치하는 표현을 고르시오. ····················· (   )

①   ②   ③   ④

❶ G: Please be _____.

❷ G: I am 10 years old.

❸ G: It's my book.

❹ G: Look at the _____.

quiet 조용한 | year 나이 | look at ~을 보다 | sky 하늘

TIPS be동사 명령문은 주어를 생략하고 동사원형 be로 시작합니다.

13

다음을 듣고, 아이가 원하는 것을 고르시오. ····················· (   )

①   ②

③   ④

APPLE JUICE   MILK

B: I'm _____. I want some water.

thirsty 목마른 | water 물

TIPS 아이가 필요로 하는 그림을 찾아보세요.

14

다음을 듣고, 아이가 어디에 있는지 고르시오. ····················· (   )

① 교실   ② 방
③ 욕실   ④ 부엌

G: I'm doing my homework in my _____.

do one's homework 숙제하다 | room 방

TIPS 전치사 in은 위치를 나타내며, '~ 안에'라는 의미입니다.

15

다음 대화를 듣고, 새가 몇 마리인지 고르시오. ·················· (   )

① 2마리　　　② 3마리
③ 4마리　　　④ 5마리

W: How many _____ are there in the sky?

M: There are _____ birds in the sky.

how many 얼마나 많은 | bird 새 | sky 하늘

TIPS There is/are는 '~이 있다'라는 의미로 there를 특별히 해석하지는 않습니다.

16

다음 대화를 듣고, 두 사람이 무엇에 대해 말하고 있는지 고르시오. ·················· (   )

① 숙제　　　② 취미 활동
③ 친구　　　④ 장래 희망

B: What do you want to be in the future?

G: I want to be a _____. How about you?

B: I want to be a _____.

want 원하다 | future 미래, 장래 | doctor 의사 | teacher 선생님

TIPS [want to be + 직업을 나타내는 명사] 형태로 '~이 되고 싶다'라는 의미입니다.

17

다음 대화를 듣고, 남자 아이의 모습으로 알맞은 것을 고르시오. ·················· (   )

①　　　②
③　　　④

G: Minsu, what's wrong?

   You _____ _____.

B: Someone stole my bike.

wrong 잘못된 | angry 화난 | someone 누군가 | stole 훔치다(steal)의 과거형

TIPS 감정을 나타내는 형용사 angry를 들었다면 쉽게 풀 수 있습니다.

18

다음 그림을 보고, 그림과 일치하는 대화를 고르시오. ·········· (　　)

① ② ③ ④

❶ G: Let's play soccer.

　 B: Okay.

❷ G: It's raining.

　 B: Let's _____.

❸ G: What are you doing?

　 B: I'm watching TV.

❹ G: How's the _____?

　 B: It's sunny.

play soccer 축구하다 | rain 비가 오다 | run 뛰다 | weather 날씨 | sunny 맑은

TIPS 그림에서 아이들이 비를 피해 뛰어가는 상황에 알맞은 대화를 골라 보세요.

19

다음을 듣고, 이어질 말로 알맞은 것을 고르시오. ·········· (　　)

G _____

① ② ③ ④

B: What do you want to be in the future?

❶ G: I want to be a _____.

❷ G: My dad is a teacher.

❸ G: Yes, I like my _____ teacher.

❹ G: No, I'm not.

want 원하다 | future 장래 | singer 가수 | teacher 선생님 | math 수학

TIPS What do you want to be?는 무엇이 되고 싶은지 묻는 질문으로, 주로 직업을 나타내는 명사로 대답합니다.

20

다음 대화를 듣고, 이어질 말로 알맞은 것을 고르시오. ·········· (　　)

M _____

① ② ③ ④

M: There are some apples on the table.

W: _____ you _____ apples?

❶ M: There are _____ apples.

❷ M: There are no dogs.

❸ M: Yes, I _____ apples.

❹ M: Yes, I have.

some 약간의 | table 식탁 | no 어떤 ~도 없는 | dog 개 | love 무척 좋아하다

14회 Sentence Check

● 앞에 모의고사에 나온 문장들을 잘 듣고, 한 번씩 써보세요.

01 Cross the street on a green light. 초록불에 길을 건너라.

Cross the street on a green light.

02 Raise your hand. 손을 들어라.

03 What are you doing? 뭐하고 있니?

04 Please be quiet. 조용히 해 주세요.

05 I'm thirsty. 나는 목이 마르다.

06 I want some water. 나는 물을 원해.

07 I'm doing my homework in my room. 나는 방에서 숙제를 하고 있어.

08 You look angry. 화나 보여.

09 I like my math teacher. 나는 수학 선생님을 좋아해.

10 There are some apples on the table. 식탁에 사과가 좀 있어.

● 앞에 모의고사에 나온 대화들을 잘 듣고, 한 번씩 써보세요.

01 **A** Let's play soccer. 축구하자.

   B Okay. 좋아.

   ▶ **A** Let's play soccer.

   B Okay.

02 **A** What's wrong? You look angry. 무슨 일이야? 화나 보여.

   B Someone stole my bike. 누군가 내 자전거를 훔쳐갔어.

   ▶ **A**

   B

03 **A** How many birds are there in the sky? 하늘에 새가 얼마나 있니?

   B There are five birds in the sky. 하늘에 새가 다섯 마리 있어.

   ▶ **A**

   B

04 **A** What do you want to be in the future? 너는 장래에 무엇이 되고 싶어?

   B I want to be a doctor. 나는 의사가 되고 싶어.

   ▶ **A**

   B

05 **A** Do you like apples? 너 사과 좋아하니?

   B Yes, I love apples. 응, 나는 사과를 무척 좋아해.

   ▶ **A**

   B

15 Warm-up

| 학습일 | 월   일 | 부모님 확인 | | 점수 |

Step 1 Theme Words 장소

	school	학교		hospital	병원
	museum	박물관		library	도서관
	bank	은행		hotel	호텔

Step 2 Expressions

● 동사 go를 써서 '~에 가다'라고 표현할 수 있습니다. 이때 to는 방향을 나타내는 전치사로 to 다음에는 장소를 나타내는 명사가 나옵니다. 또한 관사는 본래의 목적으로 사용되는 장소에서는 생략할 수 있습니다.

go to + (the) 장소 명사

· **go to school** 학교에 가다

I go to school today. 나는 오늘 학교에 간다.

· **go to the museum** 박물관에 간다

He goes to the museum on Monday. 그는 월요일에 도서관에 간다.

Tips
▶ 동사 go는 주어가 3인칭 단수 현재형일 때는 goes, 과거형일 때는 went로 불규칙 변화합니다.

●어디에 가고 있는지 진행형으로 물을 때는 의문사 Where와 진행형을 써서 물어볼 수 있습니다. 따라서 의문문은 [Where + be동사 + 주어 + 동사원형 −ing ~?] 형태가 됩니다.

Ⓐ **Where** are you going?   너는 어디에 가고 있니?

Ⓑ I am going to **school**.   나는 학교에 가고 있어.

Practice

●앞에서 배운 장소 표현 명사를 이용해서 다양한 답변을 만들어 보세요.

I am going to the library. 나는 도서관에 가고 있어.
I am going to the park. 나는 공원에 가고 있어.

Word Preview

●문제에 등장하는 단어들을 듣고, 미리 한 번씩 써보세요.

01	zoo	동물원		02	zebra	얼룩말	
03	horse	말		04	frog	개구리	
05	lunch	점심(식사)		06	noon	정오	
07	dinner	저녁(식사)		08	breakfast	아침(식사)	
09	sleep	자다		10	wash	씻다	
11	restaurant	식당		12	time	시간	
13	face	얼굴		14	together	함께	
15	guitar	기타		16	meet	만나다	
17	wrong	잘못된		18	hobby	취미	
19	hungry	배고픈		20	because	때문에	

영어 듣기 모의고사

 보통 속도 빠른 속도

학습일	월 일	부모님 확인		점수

1

다음을 듣고, 첫소리가 <u>다른</u> 낱말을 고르시오.
······················· (   )

①   ②   ③   ④

2

다음을 듣고, 들려주는 낱말의 첫소리를 고르시오. ································ (   )

_rog

① a   ② f

③ p   ④ s

3

다음을 듣고, 단어 카드와 일치하는 낱말을 고르시오. ······················· (   )

lunch

①   ②   ③   ④

4

다음을 듣고, 장소를 나타내는 낱말이 <u>아닌</u> 것을 고르시오. ······················· (   )

①   ②   ③   ④

5

다음을 듣고, 그림과 일치하는 낱말을 고르시오. ······················· (   )

①   ②   ③   ④

6

다음을 듣고, 알맞은 뜻을 고르시오.
····································· (   )

① 편의점   ② 식당
③ 백화점   ④ 공원

7

다음을 듣고, 어떤 상황에서 쓰는 표현인지 고르시오. ····························· (   )

① 음식 주문할 때
② 만났을 때
③ 시간을 물어볼 때
④ 도움을 줄 때

8

다음을 듣고, 일치하는 그림을 고르시오.
····································· (   )

①   ②

③    ④

9

다음 그림과 같은 행동을 시키려면 어떻게 말해야 할지 고르시오. ··············· (   )

①   ②   ③   ④

10

다음 그림을 보고, 여자 아이가 할 말로 알맞은 것을 고르시오. ··················· (   )

①   ②   ③   ④

11

다음을 듣고, 이어질 말로 알맞지 <u>않은</u> 것을 고르시오. ⋯⋯⋯⋯⋯⋯⋯⋯⋯⋯ ( )

B _____

① ② ③ ④

13

다음을 듣고, 아이가 먹고 싶은 것을 고르시오. ⋯⋯⋯⋯⋯⋯⋯⋯⋯⋯⋯⋯ ( )

① ②

③ ④

14

다음을 듣고, 아이가 있는 장소를 고르시오. ⋯⋯⋯⋯⋯⋯⋯⋯⋯⋯⋯⋯⋯⋯⋯ ( )

① 영화관   ② 화장실
③ 거실   ④ 병원

12

다음을 듣고, 그림과 일치하는 설명을 고르시오. ⋯⋯⋯⋯⋯⋯⋯⋯⋯⋯⋯⋯ ( )

① ② ③ ④

15

다음 대화를 듣고, 오늘 무슨 과목이 있는지 고르시오. ⋯⋯⋯⋯⋯⋯⋯⋯⋯⋯ ( )

① 과학   ② 미술
③ 음악   ④ 영어

16

다음 대화를 듣고, 두 사람이 무엇에 대해 말하고 있는지 고르시오. ·················· (　)

① 교통수단
② 취미 활동
③ 학교 수업
④ 장래 희망

18

다음 그림을 보고, 그림과 일치하는 대화를 고르시오. ···················· (　)

①　　　②　　　③　　　④

17

다음 대화를 듣고, 여자 아이의 모습으로 알맞은 것을 고르시오. ·················· (　)

① 　②

③ 　④

19

다음을 듣고, 이어질 말로 알맞은 것을 고르시오. ···················· (　)

B _____

①　　　②　　　③　　　④

20

다음을 듣고, 이어질 말로 알맞은 것을 고르시오. ···················· (　)

B _____

①　　　②　　　③　　　④

●잘 듣고, 빈칸에 알맞은 말을 쓰세요.

1

다음을 듣고, 첫소리가 <u>다른</u> 낱말을 고르시오.
·····························( )

① ② ③ ④

❶ W: zebra

❷ W: _____

❸ W: zoo

❹ W: _____

zebra 얼룩말 | horse 말 | zoo 동물원 | zero 0, 영
TIPS 알파벳 Z z 사운드와 H h 사운드를 구분해 보세요.

2

다음을 듣고, 들려주는 낱말의 첫소리를 고르시오. ·····················( )

_rog

① a   ② f
③ p   ④ s

M: _____

frog 개구리
TIPS frog의 첫소리는 friend(친구)의 첫소리와 같습니다.

3

다음을 듣고, 단어 카드와 일치하는 낱말을 고르시오. ·····················( )

lunch

① ② ③ ④

❶ W: dinner

❷ W: _____

❸ W: noon

❹ W: _____

dinner 저녁(식사) | lunch 점심(식사) | noon 정오 | breakfast 아침(식사)
TIPS 식사 이름을 나타내는 명사 앞에는 부정관사나 정관사가 오지 않습니다.
have breakfast 아침식사하다   have lunch 점심식사하다

4

다음을 듣고, 장소를 나타내는 낱말이 <u>아닌</u> 것을 고르시오. ·················· (   )

①   ②   ③   ④

❶ M: _____

❷ M: museum

❸ M: _____

❹ M: library

hospital 병원 | museum 박물관 | pilot 비행기 조종사 | library 도서관

TIPS pilot(비행기 조종사)는 직업을 나타내는 명사입니다.
장소는 의문사 Where로 물어볼 수 있습니다.

5

다음을 듣고, 그림과 일치하는 낱말을 고르시오. ·················· (   )

①   ②   ③   ④

❶ W: _____

❷ W: eat

❸ W: sleep

❹ W: _____

run 달리다 | eat 먹다 | sleep 자다 | wash 씻다

TIPS 동사는 주어의 동작이나 상태를 나타내는 역할을 합니다.
제시된 동사들은 모두 동작을 나타내는 동사들입니다.

6

다음을 듣고, 알맞은 뜻을 고르시오.
·················· (   )

① 편의점   ② 식당
③ 백화점   ④ 공원

M: _____

restaurant 식당

TIPS 제시된 보기의 단어들은 convenience store(편의점), department store(백화점), park(공원)입니다.

7

다음을 듣고, 어떤 상황에서 쓰는 표현인지 고르시오. ·················· (   )

① 음식 주문할 때
② 만났을 때
③ 시간을 물어볼 때
④ 도움을 줄 때

W: What _____ is it?

time 시간

TIPS 시간을 물어볼 때는 비인칭주어 It을 사용합니다.

8

다음을 듣고, 일치하는 그림을 고르시오.
························· (　　　)

① ② ③ ④

M: It's 1_____.

o'clock 시

TIPS o'clock은 1에서 12까지의 숫자 뒤에 써서 정확한 시간을 나타냅니다.

9

다음 그림과 같은 행동을 시키려면 어떻게 말해야 할지 고르시오. ·············· (　　　)

① ② ③ ④

❶ M: Hurry up.

❷ M: _____ your face.

❸ M: Take a bath.

❹ M: _____ your hand.

hurry up 서두르다 | face 얼굴 | bath 목욕 | raise 들어올리다

TIPS 상대방에게 행동을 시키는 문장을 명령문이라고 합니다.
명령문은 주어(You)가 생략된 형태로 동사원형으로 시작합니다.

10

다음 그림을 보고, 여자 아이가 할 말로 알맞은 것을 고르시오. ·············· (　　　)

① ② ③ ④

❶ G: Let's _____ together.

❷ G: I'm sorry.

❸ G: Let's play the guitar.

❹ G: Nice to _____ you.

sing 노래하다 | together 함께 | play the guitar 기타를 치다 | meet 만나다

TIPS [Let's + 동사원형]은 '~하자'라는 의미로 제안문을 나타냅니다.

11

다음을 듣고, 이어질 말로 알맞지 <u>않은</u> 것을 고르시오. ················· (   )

B _____

① ②   ③   ④

G: _____ are you going?

❶ B: I'm going to school.

❷ B: I'm going to the _____.

❸ B: I'm going to the hospital.

❹ B: I'm going to eat _____.

where 어디 | school 학교 | museum 박물관 | hospital 병원 | dinner 저녁
TIPS 예시문은 어디에 가고 있는지 장소를 묻는 질문입니다.

12

다음을 듣고, 그림과 일치하는 설명을 고르시오. ················· (   )

① ②   ③   ④

❶ W: The woman is playing the piano.

❷ W: The woman is making a _____.

❸ W: The woman is playing computer games.

❹ W: The woman is _____ a cake.

play the piano 피아노를 치다 | make 만들다 | cake 케이크 | computer game 컴퓨터 게임 | eat 먹다
TIPS [be동사 + -ing] 형태는 진행시제를 표현합니다.

13

다음을 듣고, 아이가 먹고 싶은 것을 고르시오. ················· (   )

①   ②

③   ④

B: Mom, I'm _____. I want to eat a cheeseburger.

hungry 배고픈 | cheeseburger 치즈버거
TIPS 아이의 먹고 싶어하는 음식을 골라보세요.

14

다음을 듣고, 아이가 있는 장소를 고르시오. ················· (   )

① 영화관   ② 화장실
③ 거실   ④ 병원

G: I am _____ TV in the living room.

watch 보다 | living room 거실
TIPS 전치사 in은 장소를 나타내며, '~에서'라는 의미입니다.

15

다음 대화를 듣고, 오늘 무슨 과목이 있는지 고르시오. ·········· (   )

① 과학   ② 미술
③ 음악   ④ 영어

G: You look _____ today.

B: It's because I have a music class today.

look ~해 보이다 | happy 행복한 | today 오늘 | because 때문에 |
music 음악 | class 수업

TIPS because는 이유를 나타내는 접속사로 because 다음에는 이유를 나타내는 주어와 동사의 문장이 옵니다.

16

다음 대화를 듣고, 두 사람이 무엇에 대해 말하고 있는지 고르시오. ·········· (   )

① 교통수단
② 취미 활동
③ 학교 수업
④ 장래 희망

M: Do you have any hobbies?

W: Yes. I like _____ books.
How about you?

M: I like _____.

hobby 취미 | fishing 낚시

TIPS 동사 like 다음에는 목적어가 옵니다.

17

다음 대화를 듣고, 여자 아이의 모습으로 알맞은 것을 고르시오. ·········· (   )

M: Cindy, what's wrong?

W: I'm _____ because I lost my cellphone.

wrong 잘못된 | lose 잃어버리다 | cellphone 휴대폰

TIPS 동사 lose의 과거형이 lost입니다.
이렇게 불규칙으로 변하는 동사에는 다음과 같은 것들이 있습니다.
send 보내다 – sent   sing 노래하다 – sang
sit 앉다 – sat   come 오다 – came

18

다음 그림을 보고, 그림과 일치하는 대화를 고르시오. ………………… (   )

① ② ③ ④

❶ W: Are you okay?

　 M: Yes, I'm okay.

❷ W: How ＿＿＿＿＿＿＿ lemons do you have?

　 M: I have two lemons.

❸ W: What's this?

　 M: It's a ＿＿＿＿＿＿＿＿＿.

❹ W: Thank you.

　 M: You're ＿＿＿＿＿＿＿＿＿.

how many 얼마나 많은 | lemon 레몬 | this 이것 | welcome ~해도 좋은

TIPS 그림에서 여자가 무엇인지 묻고 있는 상황에 알맞은 대화를 골라 보세요.

19

다음을 듣고, 이어질 말로 알맞은 것을 고르시오. ………………… (   )

B ＿＿＿＿＿＿＿＿＿＿

① ② ③ ④

G: James, what are you doing?

❶ B: I'm going there by ＿＿＿＿＿＿＿＿.

❷ B: Yes, I'm going to do it.

❸ B: I'm doing my homework.

❹ B: I'm going to the ＿＿＿＿＿＿＿＿.

where 어디에 | by bus 버스로 | do one's homework 숙제하다 | hospital 병원

TIPS Where은 장소를 묻는 의문사입니다.

20

다음을 듣고, 이어질 말로 알맞은 것을 고르시오. ………………… (   )

B ＿＿＿＿＿＿＿＿＿＿

① ② ③ ④

G: Tomorrow is my birthday.
　 Can you come to my birthday party?

❶ B: Happy Christmas.

❷ B: Of ＿＿＿＿＿＿＿＿!

❸ B: I'm ＿＿＿＿＿＿＿＿ for my dad.

❹ B: No, it's today.

tomorrow 내일 | birthday 생일 | birthday party 생일 파티 | Christmas 크리스마스 | wait for ~을 기다리다 | today 오늘

TIPS 긍정의 대답에는 Of course! 외에도 Certainly! / Naturally! / Sure! 등을 쓸 수 있습니다.

● 앞에 모의고사에 나온 문장들을 잘 듣고, 한 번씩 써보세요.

01 Let's sing together. 같이 노래하자.

Let's sing together.

02 Nice to meet you. 만나서 반가워.

03 The woman is making a cake. 여자는 케이크를 만들고 있어.

04 I want to eat a cheeseburger. 치즈버거가 먹고 싶어요.

05 You look happy today. 오늘 행복해 보이네.

06 The woman is playing computer games. 여자는 컴퓨터 게임을 하고 있어.

07 I'm going to the hospital. 나는 병원에 가고 있어.

08 I'm going there by bus. 나는 버스로 갈 거야.

09 I'm waiting for my dad. 나는 아빠를 기다리고 있어.

10 Happy Christmas. 크리스마스 잘 보내.

● 앞에 모의고사에 나온 대화들을 잘 듣고, 한 번씩 써보세요.

01 **A** Do you have any hobbies? 너는 취미가 좀 있니?

B Yes. I like reading books. 응. 나는 독서하는 것을 좋아해.

▶ **A** Do you have any hobbies?

B Yes. I like reading books.

02 **A** What's wrong? 무슨 일 있어?

B I lost my cellphone. 내 휴대폰을 잃어버렸어.

▶ **A**

B

03 **A** What's this? 이게 뭐야?

B It's a lemon. 이건 레몬이야.

▶ **A**

B

04 **A** What are you doing? 뭐하고 있니?

B I'm doing my homework. 나는 숙제를 하고 있어.

▶ **A**

B

05 **A** Can you come to my birthday party? 내 생일 파티에 올 수 있니?

B Of course! 물론이야!

▶ **A**

B

1 Vocabulary

● 다음 들려주는 단어를 듣고 세 번씩 써보세요.

01	let's	~하자		
02	window	창문		
03	welcome	환영하다		
04	who	누구		
05	coat	코트		
06	socks	양말		
07	shoes	신발		
08	shirt	셔츠		
09	best	최고의		
10	drink	마시다		
11	eat	먹다		
12	sit	앉다		
13	count	(수를) 세다		
14	glasses	안경		
15	close	닫다		
16	door	문		
17	pizza	피자		
18	chocolate	초콜릿		
19	what	무엇		
20	play	연주하다		

● 다음 들려주는 단어를 듣고 세 번씩 써보세요.

01	look at	~을 보다			
02	goodbye	안녕			
03	thank	감사하다			
04	umbrella	우산			
05	sing	노래하다			
06	dance	춤추다			
07	swim	수영하다			
08	cry	울다			
09	mountain	산			
10	school	학교			
11	store	가게			
12	house	집			
13	museum	박물관			
14	tiger	호랑이			
15	wash	닦다			
16	hand	손			
17	violin	바이올린			
18	baseball	야구			
19	weather	날씨			
20	grandmother	할머니			

● 다음 들려주는 단어를 듣고 세 번씩 써보세요.

01	color	색			
02	make	만들다			
03	gloves	장갑			
04	socks	양말			
05	glasses	안경			
06	sweater	스웨터			
07	jump	뛰어오르다			
08	sorry	미안한			
09	morning	아침			
10	hospital	병원			
11	sad	슬픈			
12	need	필요하다			
13	shower	샤워			
14	door	문			
15	order	주문하다			
16	pizza	피자			
17	who	누구			
18	baseball cap	야구모자			
19	play the violin	바이올린을 연주하다			
20	younger sister	여동생			

4회 Vocabulary

● 다음 들려주는 단어를 듣고 세 번씩 써보세요.

01	white	흰색		
02	please	～해 주세요		
03	thank	감사하다		
04	dance	춤추다		
05	swim	수영하다		
06	sing	노래하다		
07	wash	닦다		
08	water	물		
09	sweet	달콤한		
10	today	오늘		
11	soccer	축구		
12	badminton	배드민턴		
13	tennis	테니스		
14	pet	반려동물		
15	mountain	산		
16	angry	화난		
17	open	열다		
18	umbrella	우산		
19	guitar	기타		
20	ready	준비된		

● 다음 들려주는 단어를 듣고 세 번씩 써보세요.

01	seven	7, 일곱			
02	friend	친구			
03	fly	날다			
04	teacher	선생님			
05	backpack	배낭			
06	table	테이블, 식탁			
07	computer	컴퓨터			
08	game	게임			
09	ruler	자			
10	gloves	장갑			
11	banana	바나나			
12	sunny	맑은			
13	hot	더운			
14	snowman	눈사람			
15	ski	스키 타다			
16	eraser	지우개			
17	fishing	낚시			
18	cheesecake	치즈케이크			
19	go out	외출하다			
20	stand up	일어서다			

● 다음 들려주는 단어를 듣고 세 번씩 써보세요.

01	bear	곰		
02	eight	8, 여덟		
03	bicycle	자전거		
04	balloon	풍선		
05	cry	울다		
06	playground	놀이터		
07	badminton	배드민턴		
08	meet	만나다		
09	eat	먹다		
10	ball	공		
11	snowman	눈사람		
12	open	열다		
13	birthday	생일		
14	this	이것, 이 사람		
15	sing	노래하다		
16	year	연, 해		
17	dance	춤추다		
18	old	늙은, 나이 먹은		
19	play soccer	축구하다		
20	play tennis	테니스 치다		

7회 Vocabulary

● 다음 들려주는 단어를 듣고 세 번씩 써보세요.

01	towel	수건			
02	door	문			
03	free	자유로운			
04	throw	던지다			
05	fish	물고기			
06	ear	귀			
07	nose	코			
08	mouth	입			
09	airplane	비행기			
10	bird	새			
11	boat	보트			
12	knee	무릎			
13	hurt	다치다			
14	headache	두통			
15	cold	감기			
16	color	색			
17	table	식탁			
18	aunt	고모, 이모			
19	pizza	피자			
20	pencil case	필통			

● 다음 들려주는 단어를 듣고 세 번씩 써보세요.

01	happy	행복한		
02	hobby	취미		
03	welcome	환영		
04	hand	손		
05	low	낮은		
06	classroom	교실		
07	windy	바람 부는		
08	cloudy	흐린		
09	science	과학		
10	time	시간		
11	singer	가수		
12	scientist	과학자		
13	dancer	무용수		
14	paint	칠하다		
15	piano	피아노		
16	ride	타다		
17	meet	만나다		
18	pet	반려동물		
19	take a picture	사진 찍다		
20	ride a bicycle	자전거 타다		

● 다음 들려주는 단어를 듣고 세 번씩 써보세요.

01	idea	생각			
02	ice	얼음			
03	insect	곤충			
04	media	미디어			
05	pink	분홍색			
06	elephant	코끼리			
07	elevator	엘리베이터			
08	no	하나도 ~없는			
09	save	절약하다			
10	money	돈			
11	waste	낭비하다			
12	shoes	신발			
13	watch	주의하다			
14	zoo	동물원			
15	take off	벗다			
16	look for	~을 찾다			
17	a little	조금			
18	look at	~을 보다			
19	play the guitar	기타를 치다			
20	wash the dishes	설거지하다			

● 다음 들려주는 단어를 듣고 세 번씩 써보세요.

01	club	동아리		
02	cook	요리, 요리사		
03	sleepy	졸린		
04	moon	달		
05	neck	목		
06	puppy	강아지		
07	river	강		
08	live	살다		
09	room	방		
10	tomato	토마토		
11	potato	감자		
12	use	사용하다		
13	library	도서관		
14	clock	시계		
15	homework	숙제		
16	where	어디에		
17	need	필요하다		
18	library	도서관		
19	park	공원		
20	play baseball	야구하다		

● 다음 들려주는 단어를 듣고 세 번씩 써보세요.

01	mat	매트			
02	nest	둥지			
03	nurse	간호사			
04	socks	양말			
05	open	열다			
06	afternoon	오후			
07	pretty	꽤			
08	mountain	산			
09	order	주문하다			
10	sick	아픈			
11	bath	목욕			
12	skate	스케이트 타다			
13	weather	날씨			
14	fly	날다			
15	dance	춤추다			
16	fever	열			
17	flower	꽃			
18	dollar	달러			
19	how many	얼마나 많이			
20	play tennis	테니스 치다			

● 다음 들려주는 단어를 듣고 세 번씩 써보세요.

01	by	(수단) ~로		
02	too	역시		
03	strawberry	딸기		
04	ship	배		
05	tomorrow	내일		
06	horse	말		
07	hippo	하마		
08	busy	바쁜		
09	favorite	좋아하는		
10	subject	과목		
11	orange	오렌지		
12	song	노래		
13	study	공부하다		
14	umbrella	우산		
15	museum	박물관		
16	subway	지하철		
17	wallet	지갑		
18	present	선물		
19	get up	일어나다		
20	wash the dishes	설거지하다		

● 다음 들려주는 단어를 듣고 세 번씩 써보세요.

01	jungle	정글			
02	jacket	재킷			
03	company	회사			
04	airplane	비행기			
05	sky	하늘			
06	angry	화난			
07	towel	수건			
08	face	얼굴			
09	noise	소음			
10	library	도서관			
11	some	약간			
12	bread	빵			
13	speak	말하다			
14	tail	꼬리			
15	homework	숙제			
16	food	음식			
17	wing	날개			
18	hungry	배고픈			
19	full	배부른			
20	how tall	얼마나 (키가) 큰			

● 다음 들려주는 단어를 듣고 세 번씩 써보세요.

01	someone	누군가		
02	clock	시계		
03	rice	쌀		
04	salt	소금		
05	sugar	설탕		
06	money	돈		
07	classmate	반 친구		
08	elephant	코끼리		
09	cross	건너다		
10	street	길, 거리		
11	raise	들어 올리다		
12	idea	생각		
13	steal	훔치다		
14	thirsty	목마른		
15	bird	새		
16	room	방		
17	future	미래, 장래		
18	concert	음악회		
19	hurry up	서두르다		
20	do one's homework	숙제하다		

● 다음 들려주는 단어를 듣고 세 번씩 써보세요.

01	lunch	점심식사			
02	dinner	저녁식사			
03	breakfast	아침식사			
04	noon	정오			
05	horse	말			
06	restaurant	식당			
07	time	시간			
08	o'clock	~시			
09	together	함께			
10	guitar	기타			
11	meet	만나다			
12	wrong	잘못된			
13	hobby	취미			
14	zebra	얼룩말			
15	because	때문에			
16	cheeseburger	치즈버거			
17	play the piano	피아노 치다			
18	living room	거실			
19	by bus	버스로			
20	birthday party	생일파티			

Longman

Listening mentor joy

LEVEL **1**

정답 및 해석

PPearson

Listening
mentor joy

정답 및 해석

1
LEVEL

정답 및 해석

1회 영어 듣기 모의고사

본책 p. 08

1 ②	2 ①	3 ②	4 ②	5 ③	6 ①	7 ②	8 ②	9 ①	10 ①
11 ①	12 ④	13 ②	14 ②	15 ②	16 ②	17 ①	18 ②	19 ④	20 ④

듣기 대본 본책 p. 12

해석

1 ① W: C
  ② W: G
  ③ W: Z
  ④ W: B

2 M: Q

3 W: hi
  ① W: hi
  ② W: hello
  ③ W: hi
  ④ W: hi

3 안녕
  ① 안녕
  ② 안녕하세요
  ③ 안녕
  ④ 안녕

4 M: what
  ① M: window
  ② M: what
  ③ M: welcome
  ④ M: who

4 무엇
  ① 창문
  ② 무엇
  ③ 환영하다
  ④ 누구

5 ① W: coat
  ② W: socks
  ③ W: shoes
  ④ W: shirt

5 ① 코트
  ② 양말
  ③ 신발
  ④ 셔츠

6 ① M: desk
  ② M: dad
  ③ M: mask
  ④ M: best

6 ① 책상
  ② 아빠
  ③ 마스크
  ④ 최고의

7 ① W: book
  ② W: banana
  ③ W: pencil
  ④ W: eraser

7 ① 책
  ② 바나나
  ③ 연필
  ④ 지우개

8 ① M: drink
  ② M: open
  ③ M: sit
  ④ M: count

8 ① 마시다
  ② 열다
  ③ 앉다
  ④ (수를) 세다

9 W: <u>fish</u>

9 생선

---

10 M: <u>glasses</u>

10 안경

---

11 ① W: I'm <u>sorry</u>.
② W: <u>Thank</u> you.
③ W: Okay.
④ W: What's <u>this</u>?

11 ① W: 미안해.
② W: 고마워.
③ W: 좋아.
④ W: 이것은 뭐야?

---

12 M: It's <u>windy</u>.

12 M: 바람이 분다.

---

13 W: <u>Close</u> the door, please.

13 W: 문을 닫아 주세요.

---

14 ① B: I <u>like</u> gimbap.
② B: I like <u>pizza</u>.
③ B: I like <u>apples</u>.
④ B: I like chocolate.

14 ① B: 나는 김밥을 좋아한다.
② B: 나는 피자를 좋아한다.
③ B: 나는 사과를 좋아한다.
④ B: 나는 초콜릿을 좋아한다.

---

15 ① M: Yes, I <u>do</u>.
② M: Thank you for the present.
③ M: It's okay.
④ M: See you <u>tomorrow</u>.

15 ① W: 응, 그래.
② W: 선물 고마워.
③ W: 좋아.
④ W: 내일 보자

---

16 G: Sam, look over <u>there</u>.
B: Wow, that rabbit is very <u>fast</u>.

16 G: 샘, 저기를 봐.
B: 와우, 저 토끼는 매우 빠르다.

---

17 G: <u>What</u> is this?
B: It's a <u>book</u>.

17 G: 이것은 뭐니?
B: 그것은 책이야.

---

18 B: Let's <u>play</u> soccer!
G: <u>Okay</u>.

18 B: 축구하자.
G: 좋아.

---

19 W: <u>Do</u> you like pasta?
① M: You're <u>welcome</u>.
② M: I'm sorry.
③ M: Thank you.
④ M: Yes, I <u>do</u>.

19 W: 너는 파스타를 좋아하니?
① M: 천만에.
② M: 미안해.
③ M: 고마워.
④ M: 응, 그래.

---

20 M: <u>Can</u> you play the violin?
① W: Yes, I <u>do</u>.
② W: Thank you.
③ W: It's a violin.
④ W: No, I <u>can't</u>.

20 M: 너는 바이올린을 연주할 수 있니?
① W: 응, 그래.
② W: 고마워.
③ W: 그것은 바이올린이야.
④ W: 아니, 할 수 없어.

| 1 ② | 2 ② | 3 ③ | 4 ③ | 5 ① | 6 ② | 7 ③ | 8 ② | 9 ③ | 10 ③ |
| 11 ① | 12 ② | 13 ④ | 14 ① | 15 ② | 16 ② | 17 ④ | 18 ② | 19 ① | 20 ④ |

듣기 대본   본책 p. 26

해석

1 ① W: K
　② W: J
　③ W: E
　④ W: I

2 M: R

3 W: good
　① W: good
　② W: good
　③ W: okay
　④ W: good

3 좋은
　① 좋은
　② 좋은
　③ 좋아
　④ 좋은

4 M: brother
　① M: book
　② M: basket
　③ M: brother
　④ M: sister

4 형
　① 책
　② 바구니
　③ 형
　④ 누나

5 ① W: sing
　② W: dance
　③ W: swim
　④ W: cry

5 ① 노래하다
　② 춤추다
　③ 수영하다
　④ 울다

6 ① M: mountain
　② M: school
　③ M: store
　④ M: house

6 ① 산
　② 학교
　③ 가게
　④ 집

7 ① W: mother
　② W: brother
　③ W: party
　④ W: sister

7 ① 어머니
　② 형
　③ 파티
　④ 누나

8 ① M: pencil
　② M: eraser
　③ M: book
　④ M: umbrella

8 ① 연필
　② 지우개
　③ 책
　④ 우산

9 ① W: Help me, please.
② W: <u>Thank</u> you.
③ W: How are you doing?
④ W: <u>Goodbye</u>.

10 M: <u>grandmother</u>

11 W: <u>museum</u>

12 B: Look at the <u>tiger</u>.

13 W: <u>Wash</u> your hands.

14 ① B: I'm <u>sorry</u>.
② B: Thanks.
③ B: Goodbye.
④ B: Yes, I <u>do</u>.

15 ① G: I can play the violin.
② G: I can play the <u>piano</u>.
③ G: I can swim.
④ G: I can paly <u>baseball</u>.

16 M: What's the <u>weather</u> like?
W: It's rainy.

17 B: Yuri, is this your pen?
G: No, it isn't. My pen is <u>red</u>.

18 G: What are you doing?
B: I'm <u>reading</u> a book.

19 M: <u>Who</u> is she?
① W: She is my mom.
② W: It's <u>sunny</u>.
③ W: I'm <u>happy</u>.
④ W: This is a pen.

20 W: <u>Can</u> you swim?
① M: I am <u>sorry</u>.
② M: Thank you.
③ M: No, I'm not.
④ M: Yes, I <u>can</u>.

9 ① W: 도와주세요.
② W: 고마워.
③ W: 잘 지내니?
④ W: 잘 가.

10 할머니

11 박물관

12 B: 저 호랑이를 봐라.

13 W: 손을 씻어라.

14 ① B: 죄송합니다.
② B: 감사합니다.
③ B: 안녕히 가세요.
④ B: 예, 제가 그랬습니다.

15 ① G: 나는 바이올린을 켤 수 있다.
② G: 나는 피아노를 칠 수 있다.
③ G: 나는 수영을 할 수 있다.
④ G: 나는 야구를 할 수 있다.

16 M: 날씨가 어때?
W: 비가 와.

17 B: 유리야, 이게 네 펜이니?
G: 아니야. 내 펜은 빨간색이야.

18 G: 뭐하고 있어?
B: 나는 책 읽고 있어.

19 M: 그녀는 누구야?
① W: 내 엄마야.
② W: 맑아.
③ W: 난 행복해.
④ W: 이것은 펜이야.

20 W: 너는 수영할 수 있니?
① M: 미안해.
② M: 고마워.
③ M: 아니, 난 아니야.
④ M: 응, 할 수 있어.

1 ④	2 ②	3 ③	4 ③	5 ③	6 ①	7 ④	8 ②	9 ④	10 ②
11 ①	12 ③	13 ③	14 ③	15 ②	16 ①	17 ③	18 ④	19 ①	20 ②

듣기 대본 본책 p. 40

해석

1 ① W: D
② W: A
③ W: S
④ W: L

2 M: M

3 W: color
① W: color
② W: color
③ W: cold
④ W: color

3 색
① 색
② 색
③ 추운
④ 색

4 M: many
① M: menu
② M: man
③ M: many
④ M: make

4 많은
① 메뉴
② 남자
③ 많은
④ 만들다

5 ① W: gloves
② W: socks
③ W: glasses
④ W: sweater

5 ① 장갑
② 양말
③ 안경
④ 스웨터

6 ① M: computer
② M: color
③ M: dog
④ M: cat

6 ① 컴퓨터
② 색
③ 개
④ 고양이

7 ① W: black
② W: red
③ W: yellow
④ W: bus

7 ① 검은
② 빨간
③ 노란
④ 버스

8 ① M: run
② M: jump
③ M: swim
④ M: sit

8 ① 달리다
② 뛰어오르다
③ 수영하다
④ 앉다

9 ① W: Sorry, I can't.
② W: Good morning.
③ W: It's okay.
④ W: Help me, please.

9 ① W: 미안한데 할 수 없어.
② W: 좋은 아침이야.
③ W: 좋아.
④ W: 도와주세요.

10 M: hospital

10 병원

11 B: I'm sad.

11 B: 나는 슬퍼.

12 G: I need six apples.

12 G: 나는 사과 여섯 개가 필요해.

13 B: I have a baseball cap.
It's yellow.

13 B: 나는 야구모자가 있어.
노란색이야.

14 ① M: Close your eyes.
② M: Sit down.
③ M: Take a shower.
④ M: Open the door.

14 ① M: 눈을 감아.
② M: 앉아.
③ M: 샤워를 해.
④ M: 문을 열어.

15 ① W: What's this?
② W: Good night. Sweet dreams.
③ W: What color is this?
④ W: How's the weather?

15 ① W: 이게 뭐야?
② W: 잘 자. 좋은 꿈 꿔.
③ W: 이것은 무슨 색이야?
④ W: 날씨가 어때?

16 B: Can I order pizza?
W: Sure.

16 B: 피자 주문해도 돼요?
W: 물론이죠.

17 W: Who's this girl?
M: She is my younger sister.

17 W: 이 소녀는 누구니?
M: 그녀는 내 여동생이야.

18 B: Can you play the violin?
G: Yes, I can.

18 B: 너는 바이올린을 켤 수 있니?
G: 응, 할 수 있어.

19 M: What color is your bag?
① W: It's red.
② W: It's windy.
③ W: I like blue.
④ W: It's a bag.

19 M: 네 가방은 무슨 색이니?
① W: 빨간색이야.
② W: 바람이 불어.
③ W: 나는 파란색을 좋아해.
④ W: 그것은 가방이야.

20 W: Do you have a sister?
① M: I have a cat.
② M: Yes, I do.
③ M: She is my sister.
④ M: I'm sorry.

20 W: 너는 누나가 있니?
① M: 나는 고양이가 있어.
② M: 응, 있어.
③ M: 그녀는 내 누나야.
④ M: 미안해.

1 ③	**2** ④	**3** ④	**4** ②	**5** ②	**6** ④	**7** ④	**8** ②	**9** ③	**10** ④
11 ①	**12** ①	**13** ①	**14** ②	**15** ①	**16** ③	**17** ③	**18** ②	**19** ①	**20** ①

듣기 대본 본책 p. 54

해석

1 ① W: G
② W: A
③ W: E
④ W: B

2 M: H

3 W: tennis
① W: tennis
② W: tennis
③ W: tennis
④ W: table

3 테니스
① 테니스
② 테니스
③ 테니스
④ 테이블, 식탁

4 M: weather
① M: welcome
② M: weather
③ M: what
④ M: water

4 날씨
① 환영
② 날씨
③ 무엇
④ 물

5 ① W: sit
② W: dance
③ W: swim
④ W: sing

5 ① 앉다
② 춤추다
③ 수영하다
④ 노래하다

6 ① M: desk
② M: bag
③ M: pen
④ M: pencil

6 ① 책상
② 가방
③ 펜
④ 연필

7 ① W: sunny
② W: rainy
③ W: windy
④ W: sweet

7 ① 맑은
② 비 오는
③ 바람 부는
④ 달콤한

8 ① M: soccer
② M: baseball
③ M: badminton
④ M: tennis

8 ① 축구
② 야구
③ 배드민턴
④ 테니스

9 ① W: I'm Cindy.
　② W: I'm <u>sorry</u>.
　③ W: Thank you.
　④ W: You're <u>welcome</u>.

9 ① W: 나는 신디야.
　② W: 미안해.
　③ W: 고마워.
　④ W: 천만에.

---

10 M: <u>train</u>

10 기차

---

11 W: <u>mountain</u>

11 산

---

12 M: It's <u>snowing</u>.

12 M: 눈이 오고 있어.

---

13 W: She is <u>angry</u>.

13 W: 그녀는 화가 나 있다.

---

14 M: <u>Open</u> the box, please.

14 M: 상자를 열어 주세요.

---

15 ① B: I'm sorry, <u>but</u> I can't.
　② B: I don't like red.
　③ B: I can swim.
　④ B: Yes, I <u>can</u>.

15 ① B: 미안한데 할 수 없어.
　② B: 나는 빨간색을 좋아하지 않아.
　③ B: 나는 수영할 수 있어.
　④ B: 응, 할 수 있어.

---

16 G: Hi. Can you <u>play</u> the guitar?
　B: Yes, I can.

16 G: 안녕. 너는 기타를 칠 수 있니?
　B: 응, 할 수 있어.

---

17 M: What do you <u>want</u> for lunch?
　W: I want a <u>hamburger</u>.

17 M: 점심으로 뭐 먹고 싶니?
　W: 나는 햄버거 먹고 싶어.

---

18 M: Do you have any <u>pets</u>?
　W: Yes, I have a dog.

18 M: 너는 반려동물이 있니?
　W: 응, 나는 개가 있어.

---

19 M: How's the <u>weather</u> today?
　① W: It's <u>cloudy</u>.
　② W: I'm happy.
　③ W: It's an umbrella.
　④ W: Yes, I do.

19 M: 오늘 날씨가 어때?
　① W: 흐려.
　② W: 난 행복해.
　③ W: 그것은 우산이야.
　④ W: 응, 그래.

---

20 B: Is dinner <u>ready</u>, Mom?
　W: Yes, wash your hands before dinner.
　① B: Okay, mom.
　① B: <u>Thank</u> you.
　① B: No, I'm not.
　① B: I'm <u>sad</u>.

20 B: 엄마, 저녁 다 됐어요?
　W: 그래, 저녁식사 전에 손을 씻어라.
　① B: 예, 엄마.
　② B: 감사합니다.
　③ B: 아니, 난 아니에요.
　④ B: 난 슬퍼요.

| 1 ② | 2 ① | 3 ② | 4 ② | 5 ③ | 6 ② | 7 ④ | 8 ④ | 9 ③ | 10 ④ |
| 11 ② | 12 ① | 13 ① | 14 ① | 15 ④ | 16 ② | 17 ① | 18 ① | 19 ① | 20 ④ |

듣기 대본
본책 p. 68

해석

1 ① W: B
  ② W: D
  ③ W: E
  ④ W: P

2 M: F

3 W: great
  ① W: great
  ② W: good
  ③ W: great
  ④ W: great

3 훌륭한
  ① 훌륭한
  ② 좋은
  ③ 훌륭한
  ④ 훌륭한

4 M: eraser
  ① M: orange
  ② M: eraser
  ③ M: book
  ④ M: pencil

4 지우개
  ① 오렌지
  ② 지우개
  ③ 책
  ④ 연필

5 W: seven

5 7, 일곱

6 ① M: mother
  ② M: friend
  ③ M: fly
  ④ M: teacher

6 ① 어머니
  ② 친구
  ③ 날다
  ④ 선생님

7 ① W: cat
  ② W: dog
  ③ W: tiger
  ④ W: backpack

7 ① 고양이
  ② 개
  ③ 호랑이
  ④ 배낭

8 ① M: table
  ② M: desk
  ③ M: house
  ④ M: chair

8 ① 식탁
  ② 책상
  ③ 집
  ④ 의자

9 W: gloves

9 장갑

10 M: <u>banana</u>

10 바나나

11 ① W: <u>Hello</u>.
② W: Goodbye.
③ W: I'm <u>sorry</u>.
④ W: Thanks.

11 ① W: 여보세요.
② W: 잘 가.
③ W: 미안해.
④ W: 고마워.

12 ① M: It's <u>cold</u>.
② M: It's sunny.
③ M: It's <u>hot</u>.
④ M: It's rainy.

12 ① M: 춥다.
② M: 맑다.
③ M: 덥다.
④ M: 비가 온다.

13 B: I <u>can</u> ski.

13 B: 나는 스키를 탈 수 있다.

14 W: <u>Stand</u> up, please.

14 W: 일어서 주세요.

15 ① B: Let's <u>go</u> outside.
② B: Let's go fishing.
③ B: Let's go swimming.
④ B: Let's make a <u>snowman</u>.

15 ① B: 밖에 나가자.
② B: 낚시하러 가자.
③ B: 수영하러 가자.
④ B: 눈사람을 만들자.

16 B: Cindy, what are you doing?
G: I'm <u>reading</u> a book.

16 B: 신디 뭐하고 있어?
G: 나는 책을 읽고 있어.

17 B: Mom, it looks like <u>rain</u>.
W: Take an <u>umbrella</u> with you when you go out.

17 B: 엄마, 비가 올 것 같아요.
W: 외출할 때 우산 가져가라.

18 G: Do you like cheesecake?
B: No, I <u>don't</u>. I like fried chicken.

18 G: 너는 치즈케이크를 좋아하니?
B: 아니, 그렇지 않아. 나는 프라이드치킨을 좋아해.

19 M: Do you have a <u>computer</u>?
① W: Yes, I do.
② W: I love computer <u>games</u>.
③ W: Thank you.
④ W: It's a <u>ruler</u>.

19 M: 너는 컴퓨터가 있니?
① W: 응, 있어.
② W: 나는 컴퓨터 게임을 좋아해.
③ W: 고마워.
④ W: 그것은 자야.

20 M: I have cats.
W: How <u>many</u> cats do you have?
① M: I <u>have</u> a book.
② M: They are pencils.
③ M: I have three dogs.
④ M: I have <u>two</u> cats.

20 M: 나는 고양이들이 있어.
W: 고양이들이 몇 마리 있어?
① M: 나는 책이 있어.
② M: 그것들은 연필이야.
③ M: 나는 개 세 마리가 있어.
④ M: 나는 고양이 두 마리가 있어.

6회 영어 듣기 모의고사

| 1 ③ | 2 ③ | 3 ③ | 4 ① | 5 ② | 6 ② | 7 ② | 8 ④ | 9 ② | 10 ③ |
| 11 ④ | 12 ③ | 13 ① | 14 ④ | 15 ② | 16 ④ | 17 ② | 18 ② | 19 ② | 20 ③ |

듣기 대본 본책 p. 82

해석

1 W: J

2 ① M: bag
② M: ball
③ M: pen
④ M: bear

2 ① 가방
② 공
③ 펜
④ 곰

3 W: talk
① W: talk
② W: talk
③ W: take
④ W: talk

3 말하다
① 말하다
② 말하다
③ 가져가다
④ 말하다

4 M: swim
① M: swim
② M: run
③ M: jump
④ M: dance

4 수영하다
① 수영하다
② 달리다
③ 뛰어오르다
④ 춤추다

5 W: eight

5 8, 여덟

6 ① M: ball
② M: bicycle
③ M: banana
④ M: balloon

6 ① 공
② 자전거
③ 바나나
④ 풍선

7 ① W: jump
② W: book
③ W: run
④ W: walk

7 ① 뛰어오르다
② 책
③ 달리다
④ 걷다

8 ① M: smile
② M: talk
③ M: swim
④ M: cry

8 ① 미소 짓다
② 말하다
③ 수영하다
④ 울다

9 W: playground

9 놀이터

10 M: Nice to meet you.

10 M: 만나서 반가워.

11 G: I <u>can</u> play badminton.

12 ① M: The man is eating pizza.
   ② M: The man is <u>making</u> pizza.
   ③ M: The man is eating a hamburger.
   ④ M: The man is <u>playing</u> soccer.

13 ① B: Let's play <u>soccer</u>.
   ② B: Let's play tennis.
   ③ B: Let's make a snowman.
   ④ B: Let's <u>swim</u>.

14 ① G: Open the door.
   ② G: Nice to meet you.
   ③ G: I'm sorry, <u>but</u> I can't.
   ④ G: Happy <u>birthday</u>.

15 W: What's <u>this</u>?
   M: ① It's cold.
   ② It's a book.
   ③ It's big.
   ④ He is my dad.

16 B: How's the weather?
   G: It's sunny. Let's go <u>swimming</u>.
   B: Sounds good.

17 B: <u>What</u> are you doing?
   G: I'm singing.

18 M: <u>Do</u> you have three cats?
   W: No, I have <u>two</u> cats.

19 M: <u>Can</u> you swim?
   ① W: No, I don't.
   ② W: Yes, I <u>can</u>.
   ③ W: I can <u>dance</u> well.
   ④ W: It's a dog.

20 W: <u>How</u> old are you?
   ① B: Yes, I have.
   ② B: She is a teacher.
   ③ B: I'm <u>ten</u> years old.
   ④ B: I'm <u>fine</u>.

11 G: 나는 배드민턴을 칠 수 있어.

12 ① M: 남자가 피자를 먹고 있다.
   ② M: 남자가 피자를 만들고 있다.
   ③ M: 남자가 햄버거를 먹고 있다.
   ④ M: 남자가 축구를 하고 있다.

13 ① B: 축구하자.
   ② B: 테니스 치자.
   ③ B: 눈사람을 만들자.
   ④ B: 수영하자.

14 ① G: 문을 열어라.
   ② G: 만나서 반가워.
   ③ G: 미안한데 할 수 없어.
   ④ G: 생일 축하해.

15 W: 이게 뭐야?
   M: ① 춥다.
   ② 그것은 책이다.
   ③ 그것은 크다.
   ④ 그는 나의 아빠다.

16 B: 날씨가 어때?
   G: 맑아. 수영하러 가자.
   B: 좋아

17 B: 너는 뭐하고 있니?
   G: 나는 노래하고 있어.

18 M: 너는 고양이가 세 마리 있니?
   W: 아니, 고양이가 두 마리 있어.

19 M: 너는 수영할 수 있니?
   ① W: 아니, 그렇지 않아.
   ② W: 응, 할 수 있어.
   ③ W: 나는 춤을 잘 출 수 있어.
   ④ W: 그것은 개야.

20 W: 너는 몇 살이니?
   ① B: 네, 가지고 있어요.
   ② B: 그녀는 선생님이에요.
   ③ B: 나는 10살이에요.
   ④ B: 나는 잘 지내요.

듣기 대본 본책 p. 96	해석

1 W: K

2 ① M: table
② M: tall
③ M: towel
④ M: door

2 ① 식탁
② 키가 큰
③ 수건
④ 문

3 W: speak
① W: speak
② W: speak
③ W: play
④ W: speak

3 말하다
① 말하다
② 말하다
③ 놀다
④ 말하다

4 M: three
① M: tree
② M: free
③ M: throw
④ M: three

4 3, 셋
① 나무
② 자유로운
③ 던지다
④ 3, 셋

5 W: fish

5 물고기

6 ① M: ear
② M: mouth
③ M: nose
④ M: eye

6 ① 귀
② 입
③ 코
④ 눈

7 ① W: ten
② W: twelve
③ W: tennis
④ W: fifteen

7 ① 10, 열
② 12, 열둘
③ 테니스
④ 15, 열다섯

8 ① M: airplane
② M: train
③ M: boat
④ M: bird

8 ① 비행기
② 기차
③ 보트
④ 새

9 W: fourteen

9 14, 열넷

10 M: How are you?

10 M: 잘 지내니?

11 G: I'm nine years old.

11 G: 나는 9살이야.

12 ① M: The girl <u>has</u> a dog.
　② M: The girl has two cats.
　③ M: The girl has <u>three</u> cats.
　④ M: The girl has three dogs.

13 ① W: Open your <u>eyes</u>, please.
　② W: Open the door, please.
　③ W: Close the door, please.
　④ W: <u>Close</u> your eyes, please.

14 ① B: I <u>feel</u> good.
　② B: I hurt my <u>knee</u>.
　③ B: I have a headache.
　④ B: I have a cold.

15 W: May I <u>help</u> you?
　M: ① Yes, please.
　　② I'm sorry.
　　③ My name is Tom.
　　④ It's 10 o'clock.

16 ① W: How are you?
　　M: I'm <u>fine</u>.
　② W: What is it?
　　M: It's an eraser.
　③ W: How's the weather today?
　　M: It's very <u>hot</u>.
　④ W: Can you swim?
　　M: Yes, I can.

17 B: What <u>color</u> is your pencil case?
　G: It's <u>green</u>.

18 G: Is this your teacher?
　B: No, she is my <u>aunt</u>. She's from Korea.

19 M: Are you hungry?
　① G: I'm <u>ten</u> years old.
　② G: I have ten apples.
　③ G: Yes, it's <u>old</u>.
　④ G: No, I'm not.

20 W: <u>Let's</u> play badminton!
　① M: It's <u>sunny</u>.
　② M: I'm eating pizza.
　③ M: I'm <u>sorry</u>, but I can't.
　④ M: I have a cat.

12 ① M: 소녀는 개 한 마리가 있다.
　② M: 소녀는 고양이 두 마리가 있다.
　③ M: 소녀는 고양이 세 마리가 있다.
　④ M: 소녀는 개 세 마리가 있다.

13 ① W: 눈을 떠 주세요.
　② W: 문을 열어 주세요.
　③ W: 문을 닫아 주세요.
　④ W: 눈을 감으세요.

14 ① B: 나는 기분이 좋아.
　② B: 나는 무릎을 다쳤어.
　③ B: 나는 두통이 있어.
　④ B: 나는 감기에 걸렸어.

15 W: 도와드릴까요?
　M: ① 예.
　　② 죄송해요.
　　③ 제 이름은 톰이에요.
　　④ 10시예요.

16 ① W: 어떻게 지내세요?
　　M: 잘 지내요.
　② W: 이게 뭐예요?
　　M: 이것은 지우개예요.
　③ W: 오늘 날씨가 어때요?
　　M: 무척 더워요.
　④ W: 수영할 수 있나요?
　　M: 예, 할 수 있어요.

17 B: 네 필통은 무슨 색이니?
　G: 초록색이야.

18 G: 이분이 네 선생님이니?
　B: 아니, 내 고모야. 한국에서 오셨어.

19 M: 너 배고프니?
　① G: 나는 10살이에요.
　② G: 나는 사과가 10개 있어요.
　③ G: 예, 오래됐어요.
　④ G: 아니요, 그렇지 않아요.

20 W: 배드민턴 치자!
　① M: 맑아.
　② M: 나는 피자를 먹고 있어.
　③ M: 미안한데 할 수 없어.
　④ M: 나는 고양이가 있어.

8회 영어 듣기 모의고사

1 ②	2 ④	3 ②	4 ④	5 ②	6 ④	7 ③	8 ①	9 ②	10 ③
11 ④	12 ①	13 ②	14 ③	15 ②	16 ①	17 ④	18 ③	19 ①	20 ②

듣기 대본

해석

1 W: P

2 ① M: piano
② M: pear
③ M: pig
④ M: bus

2 ① 피아노
② 배
③ 돼지
④ 버스

3 W: happy
① W: happy
② W: hobby
③ W: happy
④ W: happy

3 행복한
① 행복한
② 취미
③ 행복한
④ 행복한

4 M: welcome
① M: writing
② M: what
③ M: who
④ M: welcome

4 환영
① 글쓰기
② 무엇
③ 누구
④ 환영

5 W: hand

5 손

6 ① M: low
② M: show
③ M: cow
④ M: yellow

6 ① 낮은
② 쇼
③ 소
④ 노란색

7 ① W: singing
② W: dancing
③ W: classroom
④ W: writing

7 ① 노래하기
② 춤추기
③ 교실
④ 글쓰기

8 ① M: windy
② M: rainy
③ M: sunny
④ M: cloudy

8 ① 바람 부는
② 비 오는
③ 맑은
④ 흐린

9 W: science

9 과학

10 M: Long time no see!

10 M: 오랜만이야!

11 G: Susan likes <u>dancing</u>.

11 G: 수잔은 춤추는 것을 좋아해.

12 ① W: The man is a <u>cook</u>.
② W: The man is a teacher.
③ W: The man is a scientist.
④ W: The man is a <u>dancer</u>.

12 ① W: 남자는 요리사다.
② W: 남자는 선생님이다.
③ W: 남자는 과학자다.
④ W: 남자는 무용수다.

13 ① M: Would you close the door?
② M: Would you <u>paint</u> the door, please?
③ M: Could you take a picture of me?
④ M: Can you <u>ride</u> a bicycle?

13 ① M: 문 좀 닫아줄래?
② M: 문을 칠해 주시겠어요?
③ M: 사진 좀 찍어 주시겠어요?
④ M: 자전거 탈 수 있니?

14 ① W: I'm <u>happy</u>.
② W: I have a headache.
③ W: Nice to <u>meet</u> you.
④ W: This is my father.

14 ① W: 나는 행복해.
② W: 나는 두통이 있어.
③ W: 만나서 반가워요.
④ W: 이분은 나의 아버지야.

15 W: Can you <u>help</u> me, Mike?
M: ① Good-bye.
② Sure.
③ Thanks.
④ This is my mother.

15 W: 마이크 나 좀 도와줄래?
M: ① 잘가.
② 물론이야.
③ 고마워.
④ 이분은 내 엄마야.

16 G: Do you have any hobbies?
B: Yes. I like <u>playing</u> computer games.

16 G: 너는 취미가 있니?
B: 응, 나는 컴퓨터 게임하는 것을 좋아해.

17 W: Do you have any <u>pets</u>?
M: Yes, I have two dogs and two cats.

17 W: 너는 반려동물이 있니?
M: 응, 나는 개 두 마리와 고양이 두 마리가 있어.

18 W: What <u>time</u> is it?
M: It's 3 o'clock.

18 W: 몇 시예요?
M: 3시예요.

19 M: What are you doing?
① W: I'm <u>reading</u> a book.
② W: Yes, I can.
③ W: I like <u>dancing</u>.
④ W: It's my dog.

19 M: 너는 뭐하고 있니?
① W: 나는 책 읽고 있어.
② W: 응, 할 수 있어.
③ W: 나는 춤추는 것을 좋아해.
④ W: 이것은 내 개야.

20 W: Do you have a computer?
① M: Yes, I have a sister.
② M: <u>Yes</u>, but it's old.
③ M: Yes, I'm a singer.
④ M: He is my <u>brother</u>.

20 W: 너는 컴퓨터가 있니?
① M: 응, 나는 누나가 있어.
② M: 응, 그런데 낡았어.
③ M: 그래, 나는 가수야.
④ M: 그는 내 형이야.

1 ④	2 ④	3 ③	4 ③	5 ③	6 ②	7 ④	8 ④	9 ②	10 ①
11 ①	12 ①	13 ①	14 ④	15 ②	16 ②	17 ①	18 ③	19 ②	20 ④

듣기 대본　　본책 p. 124

해석

1 W: N

2 ① M: fat
② M: fish
③ M: five
④ M: vase

2 ① 뚱뚱한
② 생선
③ 5, 다섯
④ 꽃병

3 W: glad
① W: glad
② W: glad
③ W: green
④ W: glad

3 기쁜
① 기쁜
② 기쁜
③ 초록색
④ 기쁜

4 M: idea
① M: ice
② M: media
③ M: idea
④ M: insect

4 생각
① 얼음
② 미디어
③ 생각
④ 곤충

5 W: pink

5 분홍색

6 ① M: egg
② M: elephant
③ M: elevator
④ M: lion

6 ① 달걀
② 코끼리
③ 엘리베이터
④ 사자

7 ① W: violin
② W: guitar
③ W: piano
④ W: baseball

7 ① 바이올린
② 기타
③ 피아노
④ 야구

8 ① M: dancing
② M: singing
③ M: swimming
④ M: reading

8 ① 춤추기
② 노래하기
③ 수영하기
④ 책 읽기

9 W: skirt

9 치마

10 M: Watch out!

10 M: 조심해!

11 W: I'm going to Seoul by train.

12 ① M: The boy can play the guitar.
② M: The boy can play the piano.
③ M: The boy can play the violin.
④ M: The boy can play the cello.

13 ① W: Save your money.
② W: Have a nice day!
③ W: Don't waste water.
④ W: Take off your shoes.

14 ① M: Don't touch your nose.
② M: Please sit down.
③ M: Can you wash the dishes?
④ M: Could you open your mouth?

15 W: What color is it?
M: ① It's rainy.
② It's green.
③ It's a pencil.
④ He is my brother.

16 G: What are you looking for?
B: I'm looking for my backpack.

17 W: This is my first time at the zoo.
M: Me, too. Look at that elephant. It's very big.

18 G: How old is your older sister?
B: She is 17 years old.

19 M: Can you speak English?
① W: No, I don't.
② W: Yes, a little.
③ W: Yes, I can play the guitar.
④ W: I like studying English.

20 W: How many apples are in the box?
① M: Yes, I have.
② M: She is five years old.
③ M: I have ten eggs.
④ M: There are no apples in the box.

---

11 W : 나는 기차로 서울에 갈 것이다.

12 ① M : 소년은 기타를 칠 수 있다.
② M : 소년은 피아노를 칠 수 있다.
③ M : 소년은 바이올린을 연주할 수 있다.
④ M : 소년은 첼로를 연주할 수 있다.

13 ① W : 돈을 모아라.
② W : 즐거운 하루 보내!
③ W : 물을 낭비하지 마라.
④ W : 신발을 벗어라.

14 ① M : 코를 만지지 마라.
② M : 앉아주세요.
③ M : 설거지를 할 수 있니?
④ M : 입을 벌려 주시겠어요?

15 W : 그것은 무슨 색이니?
M : ① 비가 와.
② 초록색이야.
③ 연필이야.
④ 그는 내 형이야.

16 G : 무엇을 찾고 있니?
B : 내 배낭을 찾고 있어.

17 G : 동물원은 처음이야.
B : 나도 그래. 저 코끼리를 봐. 무척 커.

18 G : 네 누나는 몇 살이야?
B : 17살이야.

19 M : 너는 영어 할 수 있니?
① W : 아니, 그렇지 않아.
② W : 응, 조금 할 수 있어.
③ W : 응, 기타를 칠 수 있어.
④ W : 나는 영어 공부하는 것을 좋아해.

20 W : 상자에 사과가 얼마나 많이 있니?
① M : 응, 가지고 있어.
② M : 그녀는 5살이야.
③ M : 나는 달걀 10개가 있어.
④ M : 상자에 사과는 없어.

| 1 ④ | 2 ④ | 3 ③ | 4 ③ | 5 ② | 6 ① | 7 ③ | 8 ① | 9 ① | 10 ② |
| 11 ④ | 12 ① | 13 ③ | 14 ① | 15 ② | 16 ② | 17 ① | 18 ② | 19 ① | 20 ② |

듣기 대본
본책 p. 138

해석

1 W: T

2 ① M: milk
② M: monkey
③ M: moon
④ M: neck

2 ① 우유
② 원숭이
③ 달
④ 목

3 W: sleepy
① W: sleepy
② W: sleepy
③ W: puppy
④ W: sleepy

3 ① 졸린
② 졸린
③ 강아지
④ 졸린

4 M: clock
① M: club
② M: cook
③ M: clock
④ M: black

4 시계
① 동아리
② 요리, 요리사
③ 시계
④ 검은색

5 W: mouth

5 입

6 ① M: river
② M: live
③ M: swim
④ M: room

6 ① 강
② 살다
③ 수영하다
④ 방

7 ① W: baseball
② W: basketball
③ W: violin
④ W: badminton

7 ① 야구
② 농구
③ 바이올린
④ 배드민턴

8 ① M: tomato
② M: melon
③ M: potato
④ M: pear

8 ① 토마토
② 멜론
③ 감자
④ 배

9 W: bed

9 침대

10 M: Can I use your computer?

10 M : 네 컴퓨터를 사용해도 되니?

11 B: Spaghetti is my <u>favorite</u> food.

11 B: 스파게티는 내가 좋아하는 음식이다.

12 ① G: I'm <u>watching</u> TV.
　　② G: I'm eating pizza.
　　③ G: I'm <u>playing</u> soccer.
　　④ G: I'm reading a book.

12 ① G: 나는 TV를 보고 있다.
　　② G: 나는 피자를 먹고 있다.
　　③ G: 나는 축구를 하고 있다.
　　④ G: 나는 책을 읽고 있다.

13 M: Do your <u>homework</u> right now.

13 M: 지금 당장 숙제를 해라.

14 ① G: <u>Where</u> are you going?
　　② G: How's the weather?
　　③ G: Can you swim?
　　④ G: <u>What</u> do you want for dinner?

14 ① G: 어디 가니?
　　② G: 날씨가 어때?
　　③ G: 수영할 수 있니?
　　④ G: 저녁으로 뭘 먹을까?

15 M: Is this your <u>book</u>?
　　W: ① Thank you.
　　　② Yes, it's my book.
　　　③ Yes, I do.
　　　④ I'm sorry.

15 M: 이것은 네 책이니?
　　W: ① 고마워.
　　　② 응, 그것은 내 책이야.
　　　③ 응, 그래.
　　　④ 미안해.

16 B: What do you need?
　　G: I need an <u>eraser</u>.

16 B: 너는 뭐가 필요하니?
　　G: 나는 지우개가 필요해.

17 G: Let's meet at the <u>library</u>.
　　B: Okay. See you later.

17 G: 도서관에서 만나자.
　　B: 좋아, 이따 봐.

18 W: How can I help you?
　　M: I want to buy <u>pants</u>.

18 W: 어떻게 도와드릴까요?
　　M: 나는 바지를 사고 싶어요.

19 M: Where are you going?
　　① W: I'm going to the <u>park</u>.
　　② W: Yes, I am.
　　③ W: I like playing <u>tennis</u>.
　　④ W: It's raining.

19 M: 너는 어디에 가고 있니?
　　① W: 나는 공원에 가고 있어.
　　② W: 응, 그래
　　③ W: 나는 테니스 치는 것을 좋아해.
　　④ W: 비가 오고 있어.

20 W: Do you like playing <u>baseball</u>?
　　① M: No, I can't.
　　② M: Yes, I <u>do</u>.
　　③ M: I can play baseball.
　　④ M: Yes, it's my <u>ball</u>.

20 W: 너는 야구하는 거 좋아하니?
　　① M: 아니, 할 수 없어.
　　② M: 응, 그래.
　　③ M: 나는 야구를 할 수 있어.
　　④ M: 응, 그것은 내 공이야.

1 ④	2 ②	3 ②	4 ④	5 ④	6 ③	7 ①	8 ②	9 ③	10 ①
11 ③	12 ①	13 ④	14 ④	15 ②	16 ①	17 ①	18 ②	19 ①	20 ③

듣기 대본 　　　　본책 p. 152

1
① W: nine
② W: nest
③ W: nurse
④ W: mat

2 M: bear

3
① W: soccer
② W: socks
③ W: sick
④ W: sofa

4
① M: bus
② M: train
③ M: plane
④ M: school

5
① W: open
② W: eat
③ W: sit
④ W: run

6 M: mountain

7 M: Can I order some food?

8 M: coat

9
① M: Stand up.
② M: Wash your hands.
③ M: Take a bath.
④ M: Help me.

10
① G: Thank you.
② G: Excuse me.
③ G: Good afternoon.
④ G: Sit down, please.

해석

1
① 9
② 둥지
③ 간호사
④ 매트

2 곰

3
① 축구
② 양말
③ 아픈
④ 소파

4
① 버스
② 기차
③ 비행기
④ 학교

5
① 열다
② 먹다
③ 앉다
④ 달리다

6 산

7 W: 음식을 좀 주문할 수 있나요?

8 코트

9
① M: 일어나라.
② M: 손을 씻어라.
③ M: 목욕해라.
④ M: 도와주세요.

10
① G: 고마워.
② G: 실례합니다.
③ G: 좋은 오후야.
④ G: 앉아 주세요.

11 M: How are you today?
　① W: I'm fine. Thank you.
　② W: Pretty good.
　③ W: It's Saturday.
　④ W: I'm great.

12 ① B: I can swim.
　② B: I can skate.
　③ B: I can dance.
　④ B: I can fly.

13 G: I like playing the piano.

14 M: It's cold and snowing outside.

15 W: How many cats do you have?
　M: I have three cats.

16 B: How do you go to school?
　G: I go to school by bus.

17 B: Cathy, are you okay?
　G: No, I have a fever.

18 ① G: Can you swim?
　M: No, I can't.
　② G: Dad, this flower is for you.
　M: Thank you.
　③ G: I like flowers.
　M: Me, too.
　④ G: How's the weather?
　M: It's sunny.

19 M: Hey, Mina! Let's play tennis.
　① W: That sounds good.
　② W: Yes, he can.
　③ W: I can play the piano.
　④ W: No, it isn't.

20 W: How much is this bag?
　① M: I don't have a bag.
　② M: He is in the room.
　③ M: It's 10 dollars.
　④ M: I have two yellow bags.

11 M: 오늘 어때?
　① W: 좋아. 고마워.
　② W: 꽤 좋아.
　③ W: 토요일이야.
　④ W: 나는 아주 좋아.

12 ① B: 나는 수영을 할 수 있다.
　② B: 나는 스케이트를 탈 수 있다.
　③ B: 나는 춤출 수 있다.
　④ B: 나는 날 수 있다.

13 G: 나는 피아노 치는 것을 좋아한다.

14 M: 춥고 밖에 눈이 내리고 있다.

15 W: 너는 고양이가 몇 마리 있니?
　M: 나는 고양이 세 마리가 있어.

16 B: 너는 어떻게 학교에 가니?
　G: 나는 버스로 통학해.

17 B: 캐시, 괜찮아?
　G: 아니. 열이 있어.

18 ① G: 수영할 수 있어요?
　M: 아니, 못 해.
　② G: 아빠, 이 꽃 선물이에요.
　M: 고맙다.
　③ G: 나는 꽃을 좋아해요.
　M: 나도 그래.
　④ G: 날씨가 어때요?
　M: 맑아.

19 M: 안녕, 미나. 테니스 치자.
　① W: 좋아.
　② W: 응, 그는 할 수 있어.
　③ W: 나는 피아노 칠 수 있어.
　④ W: 아니, 그렇지 않아.

20 W: 이 가방 얼마니?
　① M: 나는 가방이 없어.
　② M: 그는 방에 있어.
　③ M: 그것은 10달러야.
　④ M: 나는 노란 가방이 두 개 있어.

| 1 ③ | 2 ① | 3 ③ | 4 ④ | 5 ① | 6 ③ | 7 ① | 8 ② | 9 ④ | 10 ① |
| 11 ① | 12 ③ | 13 ④ | 14 ② | 15 ③ | 16 ② | 17 ① | 18 ② | 19 ④ | 20 ② |

듣기 대본   본책 p. 166

1
① W: hat
② W: horse
③ W: who
④ W: hippo

2 M: piano

3
① W: soccer
② W: song
③ W: science
④ W: music

4
① M: English
② M: math
③ M: history
④ M: table

5
① W: oranges
② W: apples
③ W: tomatoes
④ W: strawberries

6 M: ship

7 W: See you tomorrow.

8 M: eleven

9
① W: Sit down, please.
② W: Can you wash the dishes?
③ W: Take a bath.
④ W: It's time to get up.

10
① M: I'm very hungry.
② M: I'm sad.
③ M: I'm busy.
④ M: It is cold.

해석

1
① 모자
② 말
③ 누구
④ 하마

2 피아노

3
① 축구
② 노래
③ 과학
④ 음악

4
① 영어
② 수학
③ 역사
④ 식탁

5
① 오렌지
② 사과
③ 토마토
④ 딸기

6 배

7 W: 내일 보자.

8 11, 열하나

9
① W: 앉아 주세요.
② W: 설거지할 수 있니?
③ W: 목욕해라.
④ W: 일어날 시간이야.

10
① M: 나는 무척 배고프다.
② M: 나는 슬프다
③ M: 나는 바쁘다.
④ M: 춥다.

11 M: What is your favorite <u>subject</u>?
　① W: I like <u>music</u>.
　② W: They are white.
　③ W: The sky is <u>blue</u>.
　④ W: I like summer.

11 M: 너는 좋아하는 과목이 뭐니?
　① W: 나는 음악을 좋아해.
　② W: 흰색이야.
　③ W: 하늘이 파랗다.
　④ W: 나는 여름을 좋아한다.

12 ① M: The boy is playing baseball.
　② M: The boy is swimming.
　③ M: The boy is <u>studying</u> English.
　④ M: The boy is studying <u>math</u>.

12 ① M: 소년이 야구를 하고 있다.
　② M: 소년이 수영을 하고 있다.
　③ M: 소년이 영어 공부를 하고 있다.
　④ M: 소년이 수학을 공부하고 있다.

13 B: What are you doing?
　G: I'm studying <u>history</u>.

13 B: 너 뭐하고 있어?
　G: 나 역사 공부하고 있어.

14 W: What are you looking for, Sam?
　M: I'm looking for my <u>umbrella</u>.

14 W: 뭐 찾고 있어, 샘?
　M: 나는 내 우산을 찾고 있어.

15 B: How do you go to the museum? By bus?
　G: N0, I go there by <u>subway</u>.

15 B: 너는 박물관에 어떻게 가? 버스 타고 가니?
　G: 아니, 나는 지하철을 타고 가.

16 G: Do you like pasta, Thomas?
　B: No, I <u>don't</u>. I like chicken.

16 G: 파스타 좋아하니, 토마스?
　B: 아니, 좋아하지 않아. 나는 치킨을 좋아해.

17 G: <u>Why</u> are you crying?
　B: I lost my wallet.

17 G: 왜 울고 있니?
　B: 나 지갑을 잃어버렸어.

18 ① W: Can you ski?
　　M: No, I can't.
　② W: I want <u>two</u> hamburgers.
　　M: Okay.
　③ W: I have a cat.
　　M: Me, too.
　④ W: Let's <u>swim</u> together.
　　M: Okay.

18 ① W: 스키 탈 수 있니?
　　M: 아니, 못 타.
　② W: 햄버거 2개 주세요.
　　M: 알겠습니다.
　③ W: 나는 고양이가 있어.
　　M: 나도 그래.
　④ W: 같이 수영하자.
　　M: 좋아.

19 M: What are you <u>eating</u> now?
　① W: I'm doing my <u>homework</u>.
　② W: Yes, I can.
　③ W: I like history.
　④ W: We are eating <u>pizza</u>.

19 M: 너희는 지금 뭐 먹고 있니?
　① W: 숙제하고 있어.
　② W: 응, 할 수 있어.
　③ W: 나는 역사를 좋아해.
　④ W: 우리는 피자를 먹고 있어.

20 B: Tomorrow is my birthday.
　G: What do you want for your birthday <u>present</u>?
　① B: I'm studying math.
　② B: I want new <u>shoes</u>.
　③ B: I want to be a teacher.
　④ B: I love <u>dancing</u>.

20 B: 내일 내 생일이야.
　G: 생일 선물로 무엇을 갖고 싶니?
　① B: 나는 수학 공부를 하고 있어.
　② B: 새 신발을 갖고 싶어.
　③ B: 나는 선생님이 되고 싶다.
　④ B: 나는 춤추는 것을 아주 좋아해.

| 1 ④ | 2 ③ | 3 ① | 4 ④ | 5 ① | 6 ② | 7 ④ | 8 ① | 9 ① | 10 ① |
| 11 ③ | 12 ② | 13 ① | 14 ④ | 15 ③ | 16 ② | 17 ① | 18 ② | 19 ② | 20 ④ |

듣기 대본
본책 p. 180

해석

1
① W: jacket
② W: jump
③ W: jungle
④ W: zoo

1
① 재킷
② 뛰어오르다
③ 정글
④ 동물원

2 M: duck

2 오리

3
① W: computer
② W: game
③ W: come
④ W: company

3
① 컴퓨터
② 게임
③ 오다
④ 회사

4
① M: sad
② M: happy
③ M: angry
④ M: airplane

4
① 슬픈
② 행복한
③ 화난
④ 비행기

5
① W: children
② W: school
③ W: buildings
④ W: doctors

5
① 아이들
② 학교
③ 건물들
④ 의사들

6 M: bicycle

6 자전거

7 M: May I help you?

7 M: 도와드릴까요?

8 W: towel

8 수건

9
① M: Wash your face.
② M: Wash your hands.
③ M: Wash the dishes.
④ M: Wash the car.

9
① M: 세수해라.
② M: 손을 씻어라.
③ M: 설거지해라.
④ M: 세차해라.

10
① W: Don't make noise in the library.
② W: run in the library.
③ W: Don't eat in the library.
④ W: Don't sleep in the library.

10
① W: 도서관에서는 시끄럽게 하지 마라.
② W: 도서관에서는 뛰지 마라.
③ W: 도서관에서는 먹지 마라.
④ W: 도서관에서는 자지 마라.

11 M: <u>Do</u> you <u>like</u> fried chicken?
① W: Yes, I do.
② W: No, I don't.
③ W: Yes, it is.
④ W: Yes, it's my favorite <u>food</u>.

11 M: 너 프라이드치킨 좋아하니?
① W: 응, 그래.
② W: 아니, 그렇지 않아.
③ W: 응, 그거야.
④ W: 응, 그것은 내가 좋아하는 음식이야.

12 ① M: The girl is reading a book.
② M: The girl is <u>drinking</u> juice.
③ M: The girl is studying.
④ M: The girl is <u>eating</u> pizza.

12 ① M: 소녀는 책을 읽고 있다.
② M: 소녀는 주스를 마시고 있다.
③ M: 소녀는 공부하고 있다.
④ M: 소녀는 피자를 먹고 있다.

13 W: I have a <u>white</u> cat. It has a <u>long</u> tail.

13 W: 나는 하얀 고양이가 있다. 그것은 꼬리가 길다.

14 M: This has <u>wings</u>. This can <u>fly</u> in the sky.

14 M: 이것은 날개가 있다. 이것은 하늘에서 날 수 있다.

15 W: May I help you?
B: Yes. I want to buy some <u>potato</u> <u>chips</u>.

15 W: 도와줄까요?
B: 예. 감자칩을 사려고 하는데요.

16 M: What's your favorite <u>color</u>?
W: I like <u>blue</u>. How about you?
M: I like <u>red</u>.

16 M: 네가 좋아하는 색은 뭐야?
W: 나는 파란색을 좋아해. 너는 어때?
M: 나는 빨간색을 좋아해.

17 G: Are you <u>hungry</u>?
B: No, I'm full.

17 G: 너 배고프니?
B: 아니. 배불러.

18 ① G: Let's play baseball.
B: I'd like to, but I can't.
② G: Let's buy some <u>bread</u>.
B: Okay.
③ G: I like flowers.
B: What kind of flower do you like?
④ G: <u>Where</u> are you?
B: I'm in the library.

18 ① G: 야구하자.
B: 그러고 싶은데 할 수 없어.
② G: 빵을 좀 사자.
B: 좋아.
③ G: 나는 꽃을 좋아해.
B: 무슨 꽃을 좋아하는데?
④ G: 어디에 있니?
B: 도서관에 있어.

19 B: Susie, can you speak Chinese?
① G: I have to do my <u>homework</u>.
② G: Yes, I can.
③ G: I feel <u>good</u>.
④ G: No, it isn't.

19 B: 수지야 너 중국어 할 수 있어?
① G: 나는 숙제를 해야 해.
② G: 응, 할 수 있어.
③ G: 좋아.
④ G: 아니, 그렇지 않아.

20 W: How <u>tall</u> are you?
① M: It's an apple.
② M: It's two dollars.
③ M: <u>He</u> is 180 cm.
④ M: <u>I'm</u> 160 cm.

20 W: 너는 키가 얼마나 크니?
① M: 그것은 사과야.
② M: 2달러야.
③ M: 그는 180cm야.
④ M: 나는 160cm야.

14 영어 듣기 모의고사

본책 p. 190

| 1 ③ | 2 ③ | 3 ① | 4 ② | 5 ④ | 6 ② | 7 ① | 8 ③ | 9 ② | 10 ② |
| 11 ③ | 12 ① | 13 ② | 14 ② | 15 ④ | 16 ④ | 17 ③ | 18 ② | 19 ① | 20 ③ |

듣기 대본

본책 p. 194

1 ① W: six
② W: sofa
③ W: toy
④ W: sky

2 M: color

3 ① W: clock
② W: black
③ W: cold
④ W: table

4 ① M: teacher
② M: subway
③ M: doctor
④ M: singer

5 ① W: rice
② W: salt
③ W: sugar
④ W: money

6 M: classmate

7 M: Hello, my name is Mike.

8 W: elephant

9 ① M: Hurry up.
② M: Cross the street on a green light.
③ M: Raise your hand.
④ M: Take a shower.

10 ① W: Thank you.
② W: Would you stop singing?
③ W: Let's go to the concert.
④ W: Would you open the door?

해석

1 ① 6, 여섯
② 소파
③ 장난감
④ 하늘

2 색

3 ① 시계
② 검은색
③ 추운
④ 식탁

4 ① 선생님
② 지하철
③ 의사
④ 가수

5 ① 쌀
② 소금
③ 설탕
④ 돈

6 반 친구

7 M: 안녕, 내 이름은 마이크야.

8 코끼리

9 ① M: 서둘러라.
② M: 초록불에 길을 건너라.
③ M: 손을 들어라.
④ M: 샤워를 해라.

10 ① W: 고마워.
② W: 노래 그만해 주시겠어요?
③ W: 음악회에 가자.
④ W: 문을 열어 주시겠어요?

11 G: It's sunny today. Let's play soccer.
① B: Sounds good.
② B: That's a good idea.
③ B: Thank you.
④ B: I'd like to, but I can't.

11 G: 오늘 맑아. 축구하자.
① B: 좋아.
② B: 좋은 생각이야.
③ B: 고마워.
④ B: 그러고 싶은데 할 수 없어.

12 ① G: Please be quiet.
② G: I am 10 years old.
③ G: It's my book.
④ G: Look at the sky.

12 ① G: 조용히 해 주세요.
② G: 나는 10살이야.
③ G: 그것은 나의 책이다.
④ G: 하늘을 봐.

13 B: I'm thirsty. I want some water.

13 B: 나는 목이 마르다. 나는 물을 원한다.

14 G: I'm doing my homework in my room.

14 G: 나는 방에서 숙제를 하고 있다.

15 W: How many birds are there in the sky?
M: There are five birds in the sky.

15 W: 하늘에 새가 얼마나 있니?
M: 하늘에 새가 다섯 마리 있어.

16 B: What do you want to be in the future?
G: I want to be a doctor. How about you?
B: I want to be a teacher.

16 B: 너는 장래에 무엇이 되고 싶니?
G: 나는 의사가 되고 싶어. 너는 어때?
B: 나는 선생님이 되고 싶어.

17 G: Minsu, what's wrong? You look angry.
B: Someone stole my bike.

17 G: 민수야, 무슨 일이야? 화나 보여.
B: 누군가 내 자전거를 훔쳐갔어.

18 ① G: Let's play soccer.
B: Okay.
② G: It's raining.
B: Let's run.
③ G: What are you doing?
B: I'm watching TV.
④ G: How's the weather?
B: It's sunny.

18 ① G: 축구하자.
B: 좋아.
② G: 비가 오고 있어.
B: 뛰자.
③ G: 뭐하고 있니?
B: 난 TV 보고 있어.
④ G: 날씨가 어때?
B: 맑아.

19 B: What do you want to be in the future?
① G: I want to be a singer.
② G: My dad is a teacher.
③ G: Yes, I like my math teacher.
④ G: No, I'm not.

19 B: 너는 장래에 무엇이 되고 싶어?
① G: 나는 가수가 되고 싶어.
② G: 나의 아빠는 선생님이야.
③ G: 응, 나는 수학 선생님을 좋아해.
④ G: 아니, 그렇지 않아.

20 M: There are some apples on the table.
W: Do you like apples?
① M: There are no apples.
② M: There are no dogs.
③ M: Yes, I love apples.
④ M: Yes, I have.

20 M: 식탁에 사과가 좀 있어.
W: 너 사과 좋아하니?
① M: 사과는 없어.
② M: 개는 없어.
③ M: 응, 나는 사과를 무척 좋아해.
④ M: 응, 있어.

1 ②	2 ②	3 ②	4 ③	5 ③	6 ②	7 ③	8 ①	9 ④	10 ①
11 ④	12 ②	13 ②	14 ③	15 ③	16 ②	17 ③	18 ③	19 ③	20 ②

듣기 대본 본책 p. 208

1
① W: zebra
② W: horse
③ W: zoo
④ W: zero

2 M: frog

3
① W: dinner
② W: lunch
③ W: noon
④ W: breakfast

4
① M: hospital
② M: museum
③ M: pilot
④ M: library

5
① W: run
② W: eat
③ W: sleep
④ W: wash

6 M: restaurant

7 W: What time is it?

8 M: It's 1 o'clock.

9
① M: Hurry up.
② M: Wash your face.
③ M: Take a bath.
④ M: Raise your hand.

10
① G: Let's sing together.
② G: I'm sorry.
③ G: Let's play the guitar.
④ G: Nice to meet you.

해석

1
① 얼룩말
② 말
③ 동물원
④ 0

2 개구리

3
① 저녁식사
② 점심식사
③ 정오
④ 아침식사

4
① 병원
② 박물관
③ 비행기 조종사
④ 도서관

5
① 달리다
② 먹다
③ 자다
④ 씻다

6 식당

7 W : 몇 시인가요?

8 1시다.

9
① M : 서둘러라.
② M : 세수해라.
③ M : 목욕해라.
④ M : 손을 들어라.

10
① G : 같이 노래하자.
② G : 미안해.
③ G : 기타 치자.
④ G : 만나서 반가워.

11 G: <u>Where</u> are you going?
  ① B: I'm going to school.
  ② B: I'm going to the <u>museum</u>.
  ③ B: I'm going to the hospital.
  ④ B: I'm going to eat <u>dinner</u>.

11 G: 너는 어디에 가고 있니?
  ① B: 나는 학교에 가고 있어.
  ② B: 나는 박물관에 가고 있어.
  ③ B: 나는 병원에 가고 있어.
  ④ B: 나는 저녁을 먹을 거야.

12 ① W: The woman is playing the piano.
  ② W: The woman is making a <u>cake</u>.
  ③ W: The woman is playing computer games.
  ④ W: The woman is <u>eating</u> a cake.

12 ① W: 여자는 피아노를 치고 있다.
  ② W: 여자는 케이크를 만들고 있다.
  ③ W: 여자는 컴퓨터 게임을 하고 있다.
  ④ W: 여자는 케이크를 먹고 있다.

13 B: Mom, I'm <u>hungry</u>.
  I want to eat a cheeseburger.

13 B: 엄마 나 배고파요.
  치즈버거가 먹고 싶어요.

14 G: I am <u>watching</u> TV in the living room.

14 G: 나는 거실에서 TV를 보고 있다.

15 G: You look <u>happy</u> today.
  B: It's because I have a music class today.

15 G: 오늘 행복해 보이네.
  B: 음악 수업이 있기 때문이야.

16 M: Do you have any hobbies?
  W: Yes. I like <u>reading</u> books. How about you?
  M: I like <u>fishing</u>.

16 M: 너는 취미가 좀 있니?
  W: 응, 나는 독서하는 것을 좋아해. 너는 어때?
  M: 나는 낚시를 좋아해.

17 M: Cindy, what's wrong?
  W: I'm <u>sad</u> because I lost my cellphone.

17 M: 신디, 무슨 일 있어?
  W: 내 휴대폰을 잃어버려서 슬퍼.

18 ① W: Are you okay?
  M: Yes, I'm okay.
  ② W: How <u>many</u> lemons do you have?
  M: I have two lemons.
  ③ W: What's this?
  M: It's a <u>lemon</u>.
  ④ W: Thank you.
  M: You're <u>welcome</u>.

18 ① W: 괜찮아?
  M: 응, 괜찮아.
  ② W: 레몬 몇 개 가지고 있어?
  M: 두 개 가지고 있어.
  ③ W: 이게 뭐야?
  M: 이건 레몬이야.
  ④ W: 고마워.
  M: 천만에.

19 G: James, what are you doing?
  ① B: I'm going there by <u>bus</u>.
  ② B: Yes, I'm going to do it.
  ③ B: I'm doing my homework.
  ④ B: I'm going to the <u>hospital</u>.

19 G: 제임스, 뭐하고 있니?
  ① B: 나는 버스로 갈 거야.
  ② B: 응, 할 거야.
  ③ B: 나는 숙제를 하고 있어.
  ④ B: 나는 병원에 가고 있어.

20 G: Tomorrow is my birthday.
  Can you come to my birthday party?
  ① B: Happy Christmas.
  ① B: Of <u>course</u>!
  ① B: I'm <u>waiting</u> for my dad.
  ① B: No, it's today.

20 G: 내일이 내 생일이야. 내 생일 파티에 올 수 있니?
  ① B: 크리스마스 잘 보내.
  ② B: 물론이야!
  ③ B: 나는 아빠를 기다리고 있어.
  ④ B: 아니, 오늘이야.

memo

Longman
Listening
mentor joy Series